未来をつくる。みんなでつくる。

日本労働組合総連合会

会長 芳野 友子

未来をつくる

　日本の個別賃金水準は1997年がピークで、それ以降は下降傾向でした。2014年から賃上げの流れを継続できている結果、水準は回復しているものの、依然として1997年の水準には戻っていません。平均年間賃金額上昇率の国際比較で低位に置かれてしまっているのが、今の日本の賃金の現状です。

　現在、コロナ禍により経営基盤の弱い中小企業や有期・短時間・契約等労働者は厳しい状況に置かれ、とりわけ非正規雇用の約７割を占める女性労働者の雇用が不安定化し、生活面への影響が大きく出ています。また、依然として、苦境に直面している産業も確かにあります。しかし、2021闘争時の状況とは違います。日本全体がこれから回復をめざしていく中で、2022闘争は大きな契機になり得ます。今こそ、経済・社会の活力の原動力となる「人への投資」が必要です。経済や企業業績が良くなってきた後で賃上げをするのではなく、賃上げによる消費喚起によって企業が活性化する経済の自律的成長をめざしていかなければなりません。「働くことを軸とする安心社会」の実現に向けて、明るい未来をつくる運動を私たちは展開します。

みんなでつくる

　労働組合があるからこそ賃上げや働き方の改善などを要求し、会社と交渉することができます。要求しなければ、回答もありません。要求するためには、労働組合の活動の原点である職場で、働く仲間の意見をしっかり聞き、調査を行って、実態を把握する必要があります。職場や社会をより良いものに変えていくためにも、すべての組合で要求し、みんなで闘っていく必要があるのです。そして、その成果を、コロナ禍の影響を大きく受けている非正規雇用で働く女性労働者を含めた多様な仲間や、労働組合のない職場で働く方にも波及させなければなりません。今次闘争を通じて、連合が変わったと思ってもらえるよう力強く取り組みを進めていきたいと思います。みんなで、ともに頑張りましょう。

2021年12月

未来をつくる。

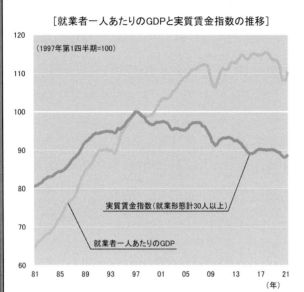

[就業者一人あたりのGDPと実質賃金指数の推移]

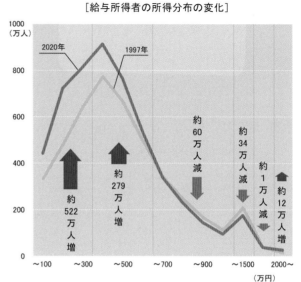

[給与所得者の所得分布の変化]

賃金や格差など20年来の課題

- 日本の賃金水準は1997年がピークだった。就業者一人あたりのGDPは1997年以降も上昇トレンドにあるにもかかわらず、実質賃金は低下し続けている。
- 中間層が薄くなる一方で、低所得層のウエイトが高まり所得格差が広がっている。

今、何が必要?

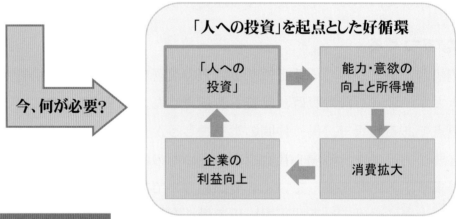

「人への投資」を起点とした好循環

未来をつくる

- 経済の後追いではなく、経済・社会の活力の原動力となる「人への投資」が、力強い好循環の起点となる。
- 「底上げ」「底支え」「格差是正」を強力に進め、分配構造の転換の突破口とする。

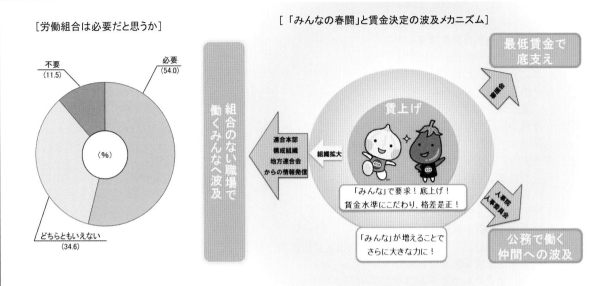

[労働組合は必要だと思うか]

不要
(11.5)

必要
(54.0)

(%)

どちらともいえない
(34.6)

[「みんなの春闘」と賃金決定の波及メカニズム]

みんなで取り組む
➢ すべての労働組合が賃上げに取り組む。

みんなを増やしていく
➢ 労働組合に加入する人が増えると、企業・社会に与える影響力が大きくなる。

みんなに知ってもらう
➢ 労働組合の存在感が1年の中で一番大きくなる春季生活闘争のタイミングで、情報発信を強化して広く社会にアピール。

みんなに届ける
➢ 労働組合がない職場で働く仲間にも波及させる。

「働くことを軸とする安心社会」の実現をめざす

「働くことを軸とする安心社会」とは、働くことに最も重要な価値を置き、誰もが公正な労働条件のもと、多様な働き方を通じて社会に参加でき、社会的・経済的に自立することを軸とし、それを相互に支え合い、自己実現に挑戦できるセーフティネットが組み込まれている活力あふれる参加型社会である。加えて、「持続可能性」と「包摂」を基底に置き、年齢や性、国籍の違い、障がいの有無などにかかわらず多様性を受け入れ、互いに認め支え合い、誰一人取り残されることのない社会である。

CONTENTS
2022春季生活闘争の方針と課題

Ⅳ　資料編

こんにちは！労働組合・連合のキャラクター、ユニオニオンです！
ユニオニオンは、ユニオンとオニオンをもじった名前。
実は労働組合＝ユニオンとは、いくつもの葉が重なり合ってできている、
たまねぎ＝オニオンが語源とされているんです。

連合キャラクター
「ユニオニオン」

～私たちとつながってください～
最新情報をチェック

【連合ホームページ】
事務局長談話、春季生活闘争、政策等、連合の情報を掲載
しています。

【連合Facebookページ】
あなたの「いいね」が社会に向けた世論喚起につながりま
す。あなたの「シェア」が大きな力になって運動をパワー
アップさせます。

【連合Twitter】
連合公式キャラクターユニオニオンがツイート！
あなたの「リツイート」が共感の輪になって世界中に拡
散されます。

【連合ツイキャス】
毎月05日「れんごうの日」に連合・労働組合の活動を分
かりやすく発信しています。

【月刊連合】
働く人の視点から、いま社会で起きていること、連合が
力を入れている運動などをわかりやすく解説。
紙・電子版をご用意しています。

【ゆにボ】
労働相談チャットボット
24時間365日15言語対応

【連合公式LINE】
まずは友だち登録！

【Wor-Q】
フリーランス
課題解決サイト

【ゆにふぁんマップ】
労働組合や地域NGO・
NPOによる活動を紹介、
サポートします。

読者のみなさまへ

- 本文中の p12などの表記は、関連する内容が各ページにあることを示します。
- 連合のオリジナル資料（「賃金・一時金・退職金調査」など）は政策資料として販売しております。
- 厚生労働省「賃金構造基本統計調査」のデータを使った賃金傾向値表や格差分析などの資料は連合ホーム
  ページに掲載しています。ご活用ください。

I

2022
春季生活闘争

視点と考え方

「安いニッポン」の現状

1−1. 日本の賃金水準は主要先進国の中で最低グループ

　日本の賃金は20年以上にわたり停滞している▮▶図1。その結果2020年の年平均賃金額は、米国、ドイツ、韓国など主要9ヵ国中8番目▮▶図2であり、中期的に相対的な位置を落としてきた。

　訪日外国人の多くが、最近の日本は良いものが安く買える「夢の国」だと実感していると言われている。しかし、日本で働き生活する者の収入は増えず、「生活が向上している」と感じている人の割合は20年以上にわたり1桁台で推移し、「低下している」と感じている人の方が多い（内閣府「国民生活に関する世論調査」）。

　賃金が上がらないことで国全体の消費も低迷し、その結果、商品やサービスの価格を上げられず、生産コストを下げて利益を上げようと賃金抑制圧力が高まる、という悪循環に陥っている。それが今の日本である。

図1［平均年間賃金（実質）の国別上昇推移］

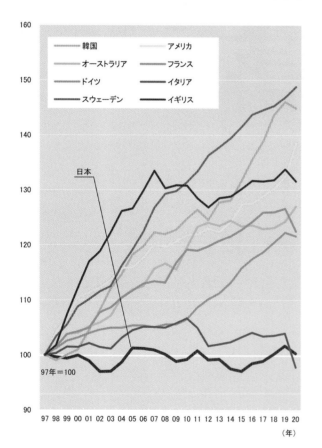

■出所：OECD統計

図2［9ヵ国の年平均賃金額の推移］
〈金額推移　米ドル建て、購買力平価換算〉

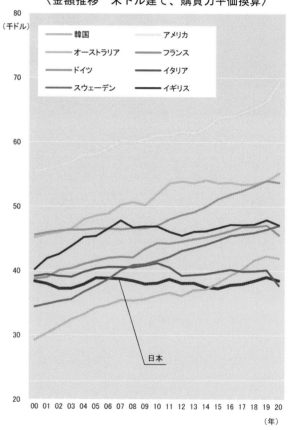

■注 ：「購買力平価」とは、2国間で同じ品物を買った場合の価格差を示すレート。例えば日本で300円のものがアメリカでは2ドルだったとすれば、1ドル＝150円が換算レートとなる

■出所：OECD統計

1－2．1997年から実質賃金はマイナス

　わが国の個別賃金水準のピークは、1997年である。厚生労働省「賃金構造基本統計調査」で見ると、一般労働者の平均賃金は平均年齢の上昇を伴いながらほぼ横ばいで推移しており、個別賃金で比べると1997年から2020年までの23年間に５ポイント以上下がっている■P112。短時間労働者比率の上昇など雇用形態の変化やこの間の物価上昇を加味した実質賃金指数の推移を見ると、10ポイント以上低下している（厚生労働省「毎月勤労統計調査」）。

　日本全体のマクロ的な視点から見ると、就業者一人あたりのＧＤＰは1997年以降も中期的に緩やかな上昇トレンドにあるにもかかわらず、実質賃金は1997年以降低下し続けている■図3。賃金水準の停滞は、生産性の向上に見合った適正な分配が行われてこなかったことが一因である。

1－3．1997年からの所得分布の変化

　その結果、わが国の給与所得者の所得分布は大きく変化した。かつての「分厚い中間層」が薄くなって低所得層のウェイトが高まる一方で、年収2,000万円を超える高所得層がわずかに増え、所得格差が広がった■図4。

　近年の大きな経済変動を見てみると、ＩＴバブルやいざなみ景気は、雇用者数も増えず、わが国全体の給与合計額もマイナスになるなど「雇用なき景気回復」「賃金デフレ」という特徴があったのに対し、2012年末からコロナ禍前までの景気回復局面では、雇用者数、給与合計額とも増加している■P111。しかし、その内実は平均以下の所得階層（2020年正規労働者平均値496万円（国税庁「民間給与実態統計調査」））での増加が大きく、実質賃金は低迷したままなのである。

図3［就業者一人あたりのGDPと実質賃金指数の推移］

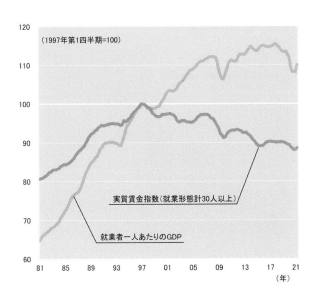

■注 ：1997年第1四半期の値を100として指数化。数値は当該四半期を含め前四期の移動平均値を使用。
　　　1980年〜1993年のGDPは2011年基準支出側GDP系列簡易遡及を使用。
　　　2001年以前の就業者数は当該年の年間の就業者数を使用
■出所：内閣府「四半期別GDP速報」、総務省「労働力調査」、厚生労働省「毎月勤労統計調査」より連合作成

図4［給与所得者の所得分布の変化］
（1997年→2020年）

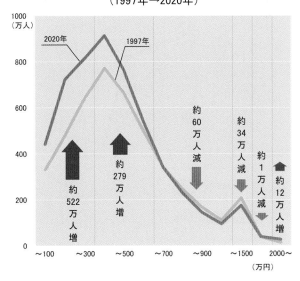

■出所：国税庁「民間給与実態統計調査」

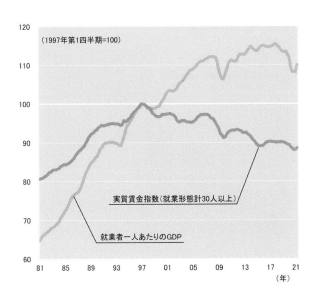 のキャプション内（図中ラベル）:
（1997年第1四半期=100）／実質賃金指数（就業形態計30人以上）／就業者一人あたりのGDP

（右側縦書き）Ⅰ　視点と考え方

1－4．コロナ禍で見えたこと

　感染防止のための社会経済活動の制限が、各産業、とりわけ交通、観光、飲食、対人サービス業などに大きなダメージを与える一方、医療や物流などの分野は人手不足に陥っている。コロナ禍は、有期・短時間・契約等で働く人や女性労働者に対しより深刻な影響を与えた▌▶図5・6。これは、この数年間に増加した所得階層の労働者と重なっている。

　政府は、2010年代半ばから「不本意非正規」を減らすことを政策目標に掲げてきたが、自らの意思で働き方を選んだ人も含め、有期・短時間・契約等で働く人たちは、コロナ禍による失業やシフト減などで生活が立ち行かなくなっている。問題の本質は、脆弱なセーフティネットと雇用の質の劣化という日本社会の現状のもとでの選択であり、その結果苦境に陥っているのが現実である。

図5[男女別・雇用形態別の雇用者数の動向]

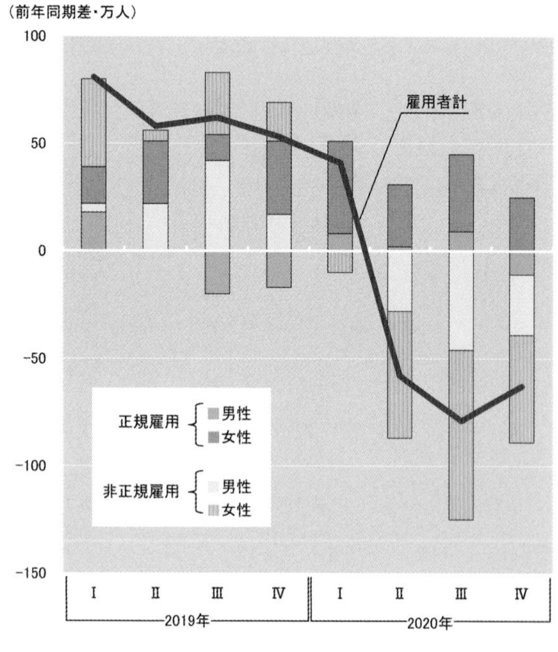

（前年同期差・万人）

雇用者計

正規雇用 { 男性 / 女性
非正規雇用 { 男性 / 女性

Ⅰ Ⅱ Ⅲ Ⅳ ─2019年─　Ⅰ Ⅱ Ⅲ Ⅳ ─2020年─

■出所：総務省「労働力調査」

図6[非正規の職員・従業員の内訳の推移]

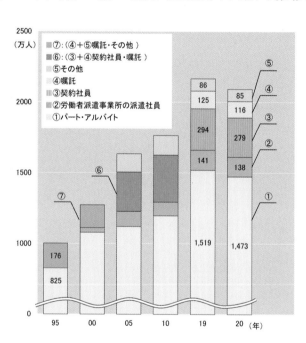

（万人）

■⑦：（④＋⑤嘱託・その他 ）
■⑥：（③＋④契約社員・嘱託 ）
□⑤その他
■④嘱託
□③契約社員
□②労働者派遣事業所の派遣社員
□①パート・アルバイト

■注　：「契約社員」「嘱託」「その他」については、調査票の変更に伴い、以下のとおり項目名を変更している。2001年8月から「嘱託・その他」を「契約社員・嘱託」、「その他」に変更。2013年1〜3月期から「契約社員・嘱託」を「契約社員」、「嘱託」に分割

■出所：総務省「労働力調査」「労働力調査特別調査」

2. なぜ格差は拡大したのか

2－1. 企業行動の変化

　格差拡大の背景には、1990年代後半から、株主重視と短期利益優先の企業行動が強まったことがある。バブル崩壊後、3つの過剰（債務、設備、雇用）の解消が声高に叫ばれ、企業会計上のバランスシート調整が行われ、持ち合い株の売却や短期利益最大化をはかる事業再構築が行われた。わが国の上場株式全体で見ると、今や株主の最大シェアは外国法人となっている▶図7。資本金10億円以上の大企業における配当金は、1997年度の6倍以上に達する▶図8。

　一方、従業員への分配は中期的に低下傾向であった。人件費の変動費化、総額人件費の抑制という観点から、いわゆる正社員の比率を下げ、有期・派遣・請負など様々な就労形態を活用する動きも強まった。

　経営の視点が短期化する中で、「人への投資」も弱まっている。わが国の企業が能力開発にかける費用は、主要国と比べて格段に低く、また経年で見ても1990年代後半の4分の1にまで下がっている▶P61。

　わが国では、長期雇用を念頭に、OJTによるスキルアップを主軸とし、公的職業訓練と自己研鑽などを組みあわせて、人的資源の蓄積をはかってきた。しかし、企業が「人への投資」をせずに人材ビジネスを使って即戦力を採ってくる姿勢を強め、人材育成は行政任せ・労働者の努力次第ということでは、日本社会全体の人的資源は早晩枯渇しかねない。今こそ企業は、長期的な展望を持ち、人を大事にし、ステークホルダー全体をバランスよく見渡した経営に立ち返るべきである。

図7［主要投資部門別株式保有比率の推移］

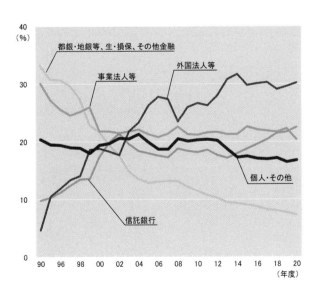

■注：04年度から09年度まではJASDAQ証券取引所上場会社分を含み、10年度以降は大阪証券取引所または東京証券取引所におけるJASDAQ市場分として含む
■出所：日本取引所グループ「2020年株式分布状況調査の調査結果」

図8［日本の資本金10億円以上の企業の経常利益・給与・配当金の推移］

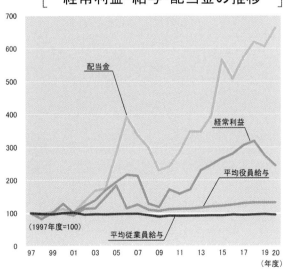

■注：平均役員給与：（役員給与＋役員賞与）÷期中平均役員数
　　　平均従業員給与：（従業員給与＋従業員賞与）÷期中平均従業員数
■出所：財務省「法人企業統計」

２－２．新自由主義的な政策の影響

　経済成長が低迷する中で、規制緩和の名のもとに経済的規制と社会的規制が同列に議論され、雇用の質を劣化させる方向で政策変更が行われたことも、格差が拡大した一因である 図9。

　1990年代後半から2000年代半ばにかけて、会社分割や持ち株会社の解禁など企業再編法制および労働者派遣・職業紹介の要件緩和など雇用・労働法制の法改正が立て続けに行われた。その揺り戻しとして、民主党政権下では、労働者派遣法の規制強化、最低賃金の中期的引き上げ目標の設定、求職者支援制度の創設などが実施された。また、2018年には、時間外労働の罰則付き上限規制、同一労働同一賃金を柱とする「働き方改革関連法」が成立した。

　この間における官邸主導の政策決定プロセスが強まる中で、ＩＬＯ（国際労働機関）の三者構成原則[1]を逸脱するようなかたちで政策議論が行われてきた。今後、カーボンニュートラルやデジタルトランスフォーメーションの動きなどが加速していけば、間違いなく産業や雇用に大きなインパクトを与える。経済政策・産業政策の補完として雇用・労働政策を検討するのではなく、良質な雇用の創出、そのための「人への投資」と社会的セーフティネットの整備を重要な政策目標の一つに据えて、三者構成原則にもとづく政策議論を行っていくべきである。

図9［有期・短時間・契約等労働者数の推移］

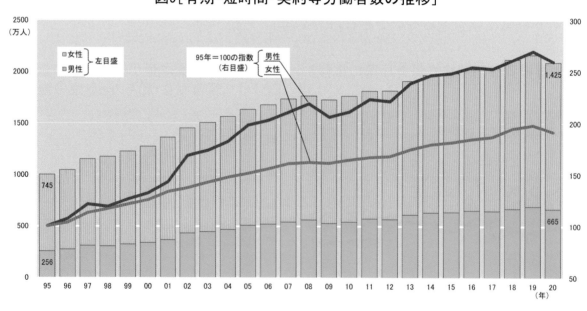

■出所：総務省「労働力調査」「労働力調査特別調査」

---

[1] 　ＩＬＯ（国際労働機関）は、国連機関の中で唯一、政府、使用者、労働者の代表からなる三者構成原則をとっている。ＩＬＯはこの三者構成により、187の加盟国の政府と労使が構成する社会的パートナーが自由かつオープンに話し合い、労働基準や政策を立案できる独特の合意形成の場となっている。

２－３．集団的労使関係でカバーしている範囲の縮小

　労働組合には、健全な集団的労使関係をベースとする労使交渉を通じ、労働条件の改善・格差是正をはかり、労働組合のない職場も含め労働市場全体に波及させていく役割がある。

　格差拡大の流れに十分に対抗できなかった一因は、集団的労使関係でカバーされている範囲の縮小にもある。厚生労働省の調査によると、労働組合員数のピークは1994年の1,270万人であり、雇用形態の多様化や産業構造の変化が進む中で組合員数は減少し、現在、雇用労働者約5,900万人のうち、労働組合員は1,000万人強にとどまっている。

　連合は、月例賃金の引き上げにこだわり、2014闘争以降賃上げの流れを継続・定着させ、法定最低賃金の引き上げもはかってきた。企業規模間格差と雇用形態間格差の是正は労働組合のある職場では一定の前進が見られるが、日本全体で見ると格差は依然として大きい。春季生活闘争を社会的労働条件決定メカニズムとして機能させていくには、仲間を増やし、集団的労使関係を広げていくことが不可欠である➡図10。

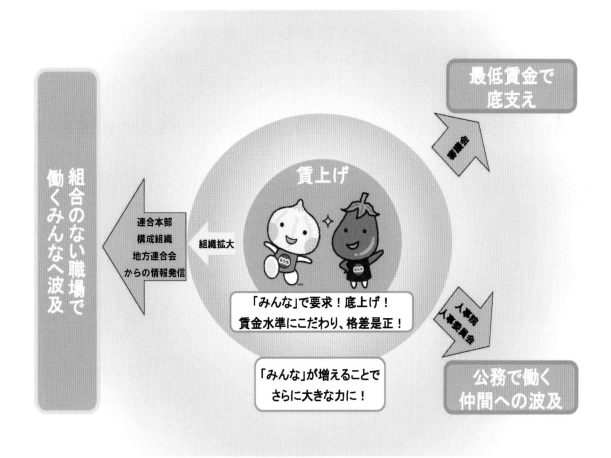

図10[「みんなの春闘」と賃金決定の波及メカニズム]

3. 未来をつくる ～「働くことを軸とする安心社会」へ舵を切れ～

コロナ禍で私たちの思考は目の前のことで精いっぱいになりがちである。格差や分配など20年来の課題を再認識し、超少子高齢・人口減少社会に突入している日本社会の未来をどのようにつくっていくか、みんなで真剣に考えなければならない。

3－1．今のままでは何がいけないのか

①不都合な真実を直視すべき

第1に押さえておくべきポイントは、1990年代以降、「トリクルダウン」は一度も起きなかったという事実である。「トリクルダウン」とは、富める者が富めば貧しい者にも自然に富がこぼれ落ち経済全体が良くなる、格差が拡大しても全体が豊かになるのだから問題ない、という考え方である。

2013年末の政労使会議において、「景気回復の動きをデフレ脱却と経済再生へ確実につなげるためには、企業収益の拡大が速やかに賃金上昇や雇用拡大につながり、消費の拡大や投資の増加を通じてさらなる企業収益の拡大に結び付くという経済の好循環を実現することが必要」との認識で一致した。

しかしながら、その後、平均所得以下の雇用は増えたものの、賃金上昇は限定的で生活向上を実感できた労働者は多くない。一方で、企業の自己資本比率は上昇傾向にある図11。「底上げ」「底支え」「格差是正」を強力に進めることで、中間所得層の厚みを増やし、今の分配のあり方を変えていかなければ、力強い好循環は生まれない図12。

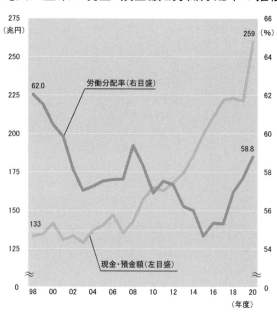

図11［自己資本比率の推移］

■注　：ここでいう中小企業は、資本金1億円未満の企業
■出所：財務省「法人企業統計調査」

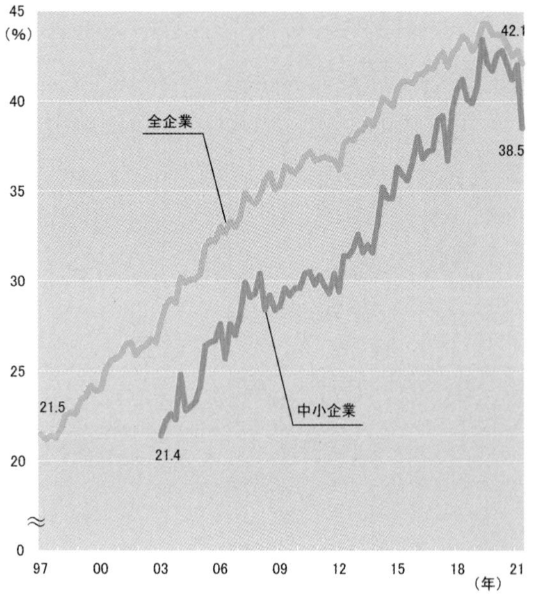

図12［法人企業の現金・預金額と労働分配率の推移］

■注　：労働分配率は連合の計算方法（1人あたり雇用者所得÷1人あたりGDP）
■出所：内閣府「四半期別GDP速報」、総務省「労働力調査」、財務省「法人企業統計調査」より連合作成

②社会の持続可能性、包摂性に問題がある

　第2のポイントは、人口減少社会▐▶図13という長期トレンドの中で、人材の使い捨てはなおさら許されないということである。

　わが国の生産年齢人口は1995年をピークに減少に転じたが、労働参加率を高めることを基本戦略として必要な労働力を確保してきた。政府が「一億総活躍社会」の看板を掲げ、女性、若者、高齢者、障がい者、病気や育児・介護を抱える人々などの就労を促進する一連の法改正を行ってきたのには、こうした背景がある。

　それは多様な生活事情を持つ人が働くということである。働きやすい職場環境と社会環境を整えるとともに、働く側が働き方を選択できるようにしていくことが重要である。

　コロナ禍で産業や職種などにより大きな差があるものの、産業全体で見ると人手不足の基調は変わらず、足下では不足感が上昇し続けている▐▶図14。安い労働力をより多く投入することで経済成長をはかるという成長戦略はこれからの選択肢にはなり得ない。新たな技術・設備の導入やビジネスモデルの転換などと同時に、スキルアップとモチベーションアップにつながる「人への投資」を積極的に行い、一人ひとりの生産性自体を高めていく必要がある。

　なお、労働基準法をはじめとする労働者保護法規や規制、社会保険料の事業主負担を回避するために、雇用契約ではなく請負契約で仕事を発注するという動きも目に付くようになってきた。働く者が安心・安全に働き、適正な報酬を得られるよう、実態を踏まえて労働者概念の見直しとセーフティネットの整備を行うべきである。

図13［日本の人口の年次推移と将来推計］

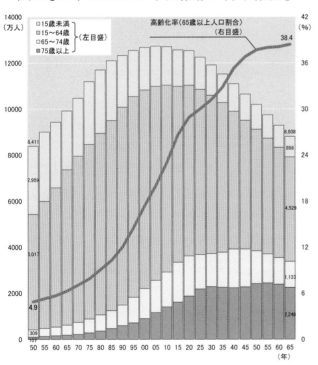

■注　：1950年〜2010年の総数は年齢不詳を含む。高齢化率の算出には分母から年齢不詳を除いている
■出所：2015年までは総務省「国勢調査」、2020年以降は国立社会保障・人口問題研究所「日本の将来推計人口(平成29年推計)」の出生中位・死亡中位仮定による推計結果

図14［雇用人員D.I.の推移（予測）］

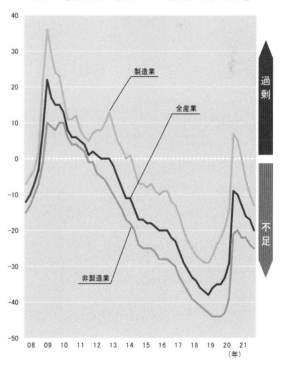

■出所：日本銀行「短観」

③健全な民主主義体制による社会的合意形成を

　第3のポイントは、経済社会の持続可能性と健全な民主主義社会の維持には分厚い中間層の形成が重要だということである。世界のいくつかの国では、格差が拡大し、社会の分断が民主主義体制の危機を招いている。わが国においても、社会への信頼が揺らぎ、がんばっても報われない、不公平な社会だと思う人々が増えつつあるのではないか 📊 図15・16。

　賃金は上がらず、自助努力・自己責任ばかりが強調されてきたため、社会全体の利益や助け合い支え合うことのメリットより、今の自分にとっての短期的な損得を考える傾向が強まっている。それを象徴する社会課題の一つが社会保障の負担と給付のあり方の論議である。中長期を展望して社会的な合意形成を早急にはかるべきであり、その前提として適切な負担を受け入れることができる中間層の厚みを増やしていくことが重要である。

　変化の大きな時代にあるからこそ、めざすべき社会像を明確にし、社会的合意を大事にしながらみんなの力をあわせて、社会課題の解決をはかる必要がある。

図15[所得の配分は公平か]

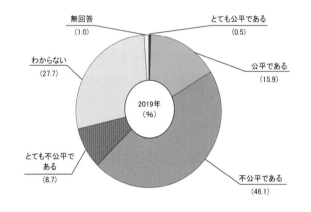

■出所：NHK放送文化研究所「社会不平等に関する意識調査」

図16[政府の格差是正はうまくいっているか]

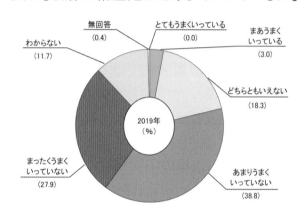

■出所：NHK放送文化研究所「社会不平等に関する意識調査」

３－２．連合がめざす社会とは

　連合は、第16回定期大会（2019年10月）において「連合ビジョン」を発表し、「働くことを軸とする安心社会－まもる・つなぐ・創り出す－」の実現をめざすことを確認した。

　「働くことを軸とする安心社会」とは、働くことに最も重要な価値を置き、誰もが公正な労働条件のもと、多様な働き方を通じて社会に参加でき、社会的・経済的に自立することを軸とし、それを相互に支え合い、自己実現に挑戦できるセーフティネットが組み込まれている活力あふれる参加型の社会である。加えて、「持続可能性」と「包摂」を基底に置き、年齢や性、国籍の違い、障がいの有無などにかかわらず多様性を受け入れ、互いに認め支え合い、誰一人取り残されることのない社会である。

　「まもる」という視点からは、働く仲間一人ひとりは弱い存在であるという認識に立ち、①集団的労使関係の確立と拡大、②多様な労働者の法的保護をはかるためのワークルールの整備・強化、③給付と教育訓練と雇用のマッチングを兼ね備えたセーフティネットの整備、④ワークルールの知識を身につける労働教育の充実、などに取り組むこととしている。

３－３．未来を変えるのは私たちの運動である

「働くことを軸とする安心社会」の実現をめざして、働く仲間の力を結集し現状を動かして未来をつくっていくことは、労働運動の役割である。

「連合評価委員会報告」（2003年）では、「労働組合員が自分たちのために連帯するだけでなく、社会の不条理に立ち向かい、自分よりも弱い立場にある人々とともに闘うことが要請されている」「弱い立場にある人々から頼りにされ、広く国民の共感が得られる運動体として、社会をリードする、そのような迫力のあるメッセージと行動に期待したい」と問題提起されており、改めてその役割を自覚する必要がある。

連合の調査によると、世の中の半分以上の人が労働組合は必要だと感じている▐▐▐図17。とりわけ、正社員・正職員より契約や派遣、パート・アルバイトで働く人、男性より女性の方が必要性を強く感じている。こうした潜在的な期待▐▐▐図18にこたえるべく、「みんなの春闘」の取り組みも通じて、労働組合の存在意義をアピールし、仲間づくりに結びつけていく必要がある。労働運動が変われば、未来も変わる。

I
視点と考え方

図17［労働組合は必要だと思うか］

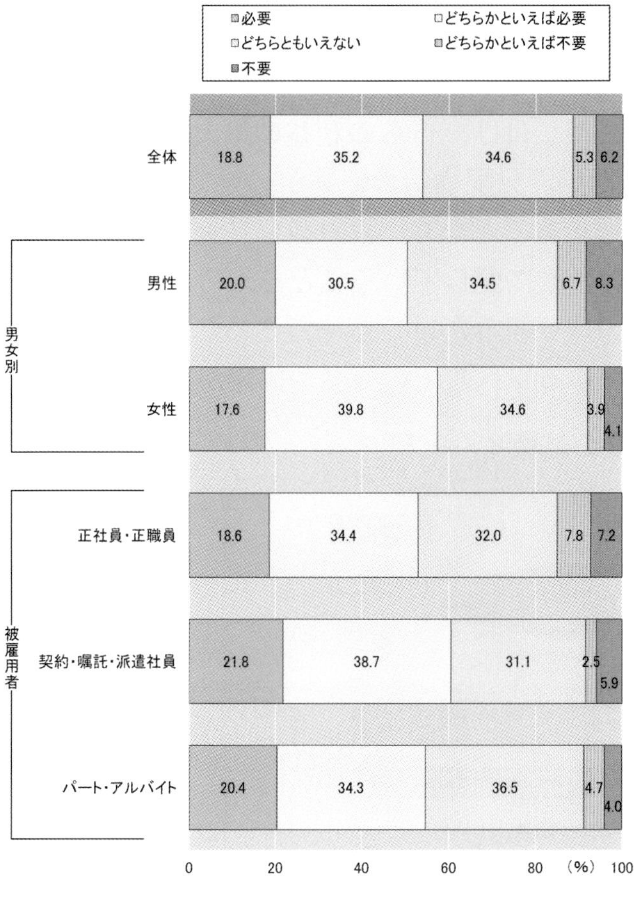

	必要	どちらかといえば必要	どちらともいえない	どちらかといえば不要	不要
全体	18.8	35.2	34.6	5.3	6.2
男性	20.0	30.5	34.5	6.7	8.3
女性	17.6	39.8	34.6	3.9	4.1
正社員・正職員	18.6	34.4	32.0	7.8	7.2
契約・嘱託・派遣社員	21.8	38.7	31.1	2.5	5.9
パート・アルバイト	20.4	34.3	36.5	4.7	4.0

（男女別／被雇用者）

■出所：連合「多様な社会運動と労働組合に関する意識調査」

図18［労働組合の活動で期待すること］

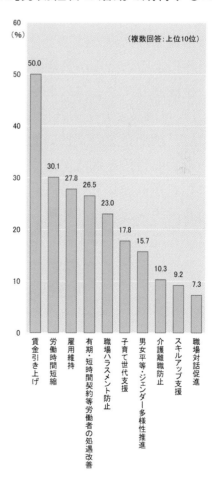

（複数回答：上位10位）

- 賃金引き上げ 50.0
- 労働時間短縮 30.1
- 雇用維持 27.8
- 有期・短時間契約等労働者の処遇改善 26.5
- 職場ハラスメント防止 23.0
- 子育て世代支援 17.8
- 男女平等・ジェンダー多様性推進 15.7
- 介護離職防止 10.3
- スキルアップ支援 9.2
- 職場対話促進 7.3

■出所：連合「多様な社会運動と労働組合に関する意識調査」

３－４．生産性三原則の意義と労使の役割

　健全な集団的労使関係を社会に広げていくことは、一人ひとりの働く者の権利を守り、雇用の安定と生活の維持・向上をはかるために重要である。連合がめざす健全な集団的労使関係とは「相互信頼を基礎とした、緊張感ある対等な集団的労使関係」であり、そのベースに生産性三原則がある。健全な労使関係のベースに生産性三原則があることは、戦後の歴史の節目ごとに経済界・労働界・学識者の三者が確認し合ってきたことである（詳細は日本生産性本部ウェブサイトを参照 https://www.jpc-net.jp/movement/）。

＜生産性三原則とは＞

①生産性の向上は、究極において雇用を増大するものであるが、過渡的な過剰人員に対しては、国民経済的観点に立って能う限り配置転換その他により、失業を防止するよう官民協力して適切な措置を講ずるものとする。

②生産性向上のための具体的な方式については、各企業の実情に即し、労使が協力してこれを研究し、協議するものとする。

③生産性向上の諸成果は、経営者、労働者および消費者に、国民経済の実情に応じて公正に分配されるものとする。

　今話題になっている「成長と分配の好循環」は、この原則にも深く関係している。ミクロの生産性の向上がステークホルダーに公正に分配され、マクロで良質な雇用をつくり国民生活の向上に結びついているのか、という点が重要である。それには「神の見えざる手」による市場原理のみでは不十分であり、政府の役割発揮と生産性三原則にもとづく労使の取り組みによるところが大きい。加えて、社会的なセーフティネットの強化も必須である。他方、企業がリスクとコストを個人と政府に押し付け、自らの利益の最大化を追求するばかりでは、「成長と分配の好循環」は実現しない。分配構造の転換が必要である▮▶図19。経済界には、個別企業の支払い能力のみを強調することなく、より良い社会をつくるために企業の社会的責任を果たすよう、業界や会員企業に促していくことを求めたい。

　われわれが直面している課題は、企業内の取り組みだけで解決できるわけではない。グローバル、ナショナル、地域、産業などあらゆるレベルでの対話や協議が重要である。

図19［分配構造の転換イメージ］

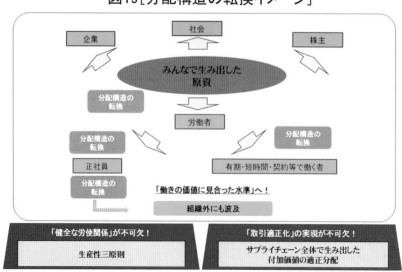

■出所：連合作成

「法人企業統計」で見た企業の財務状況と労働組合の役割

　財務省「法人企業統計」（全産業企業規模計）を使って、直近5年間（2015～2020年度）の変化を確認しておこう。

　コロナ禍で借入金を増やしながら、手元流動性を高めていることが一つの特徴といえる。この間内部留保を厚くしてきたので、資本に対する有利子負債の比率が大幅に増加しているわけではない。

　現金・預金以外では、海外を含む子会社等への投資が大きい。設備投資（有形・無形固定資産）は8％の増加にとどまり、減価償却の範囲で生産力を維持しているところが多いことがうかがえる。国民経済的に見ると、企業部門が貯蓄超過となり、国内投資が停滞していることと符合する（日銀「資金循環統計」 P112）。

　給与・賞与・福利厚生費を合計した総額人件費が2018年度をピークに減少している一方、株主配当は高止まりしている。

　経団連「2018年版経営労働政策特別委員会報告」では、「内部留保は、企業の持続的成長と競争力強化に向けた『成長投資』の原資である。自社の財務状況や今後の事業計画などを踏まえつつ、『人財への投資』も含めた一層の有効活用が望まれる」としていたが、この3年間「成長投資」「人財への投資」が進んだのか疑問である。

　したがって、労働組合は、以下のような点に留意しながら取り組んでいく必要がある：
・労使協議などを通じ企業の財務状況などの情報を入手すること
・単年度収益のみならず、バランスシートの変化なども含め分析すること
・決算のみならず、将来に向けた事業計画も把握すること
・労使それぞれの現状認識について意見交換すること

〈バランスシートの変化〉 （兆円）

	15年度	20年度	増減率(%)		15年度	20年度	増減率(%)
現金・預金	200	259	30	有利子負債	513	653	27
その他流動資産	515	555	8	その他負債	443	461	4
有形・無形固定資産	477	517	8	利益剰余金	378	484	25
投資等	399	545	36	その他純資産	258	280	9
繰延資産	2	3	50				
資産合計	1,592	1,879	18	負債・資本合計	1,592	1,879	18

〈付加価値分配の動き〉 （兆円）

	15年度	16年度	17年度	18年度	19年度	20年度
給与・賞与・福利厚生費	173	176	180	182	176	169
利息・賃借料	35	33	34	34	32	32
租税公課	11	11	10	11	11	10
営業純益	50	52	61	61	50	36
利益処分	↓	↓	↓	↓	↓	↓
株主配当	22	20	23	26	24	26
内部留保他	28	32	38	35	26	10

4. 2022春季生活闘争の意義と役割

４－１．みんなで「未来づくり春闘」を

　2021闘争では、コロナ禍の当面の対応をどうするのか、短期的視点で交渉を行った労使も少なくないだろう。2022闘争は、今に至る過去の足取りを振り返るとともに将来を見据え何をすべきか、今何ができるか、中期的な視点を持って取り組む「未来づくり春闘」としよう。

　20年以上にわたる賃金水準の低迷、その中で進行してきた不安定雇用の拡大と中間層の収縮、貧困や格差の拡大などの分配のゆがみ、そこにコロナ禍の影響が重なっている。この状況を突破し、未来を切り拓いていくには、それぞれの状況の違いを理解し合いながら、分配をめぐる大きな課題について問題意識を共有して共闘することが必要である。

　「未来をつくる」とは、産業・企業と働く者の未来を語ること。経済成長や企業業績の後追いではなく、産業・企業、経済・社会の活力の原動力となる「人への投資」を起点として、今の延長線上にある未来を変え、経済の好循環を力強く回していくことだ。

　コロナ禍の影響や世界経済の不安定要因などで先行きは不透明であり、国内外の下振れリスクがある中での景気回復局面となっている。2021年末には経済対策と大型の補正予算が組まれる見通しだが、それだけでは経済を自律的な回復軌道に乗せるには不十分であり、中期的な分配構造の転換も進まない。

　企業が「今後３年間で最も資金を投じたい分野」としては、「従業員の賃金の引き上げ」は製造業で２番目、サービス業では３番目にとどまっている 🔲▶図20。今こそ「底上げ」「底支え」「格差是正」の視点を持ちながら「人への投資」を積極的に行い、「人への投資」→能力・意欲の向上と所得増→消費拡大→企業の利益向上→「人への投資」という好循環を起動させるべきである。

図20[今後３年間で最も資金を投資したい分野]

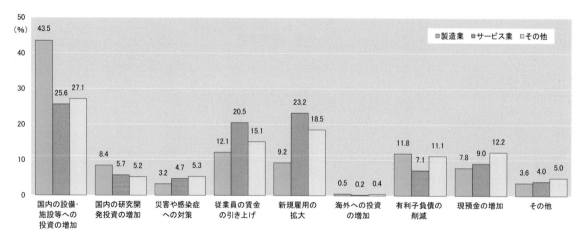

■注　：受注側事業者向けアンケートを集計したもの
■出所：㈱帝国データバンク「取引条件改善状況調査」

４－２．賃上げ

①分配構造の転換につながり得る賃上げをめざそう

　わが国の賃金水準は1997年をピークに停滞を続け、アジア通貨危機、ＩＴバブル崩壊、リーマンショックのたびに不安定雇用の拡大と中間層の収縮、貧困・格差の拡大を繰り返してきた。コロナ禍からの回復過程では、2014春季生活闘争から取り組んできた「底上げ」「底支え」「格差是正」の取り組みをより強力に推し進めることで、これまでの景気回復局面とは異なった結果を導くべきである。分配構造の転換につながり得る賃上げを実現することが、「安いニッポン」の現状を打開し、「働くことを軸とする安心社会」へつながる突破口となる。

　国土交通省の市民向け国際アンケート調査では、日本は賃金・労働時間・仕事のやりがいの満足感が他の先進国よりも低いという結果が出ている▷P112。

　2022闘争では、すべての組合が月例賃金の改善にこだわり、それぞれの賃金水準を確認しながら、「底上げ」「底支え」「格差是正」に全力で取り組もう。

②月例賃金の改善にこだわる理由

　感染防止のための社会経済活動の抑制、将来不安、雇用不安、所得の減少などにより、勤労者世帯は、消費を減らし貯蓄に回す生活防衛的行動をとっている。連合総研「第42回勤労者短観」によると、2021年10月時点で世帯全体の消費が、「１年前と比べて増えた（「かなり増えた」と「やや増えた」の合計）」との回答は19.7％で、「１年前と比べて減った（「かなり減った」と「やや減った」の合計）」の25.4％を下回る。１年後の消費の見通しは「増える」が「減る」を上回っているが、実現するか否かは将来不安や雇用不安が払しょくされ、所得が増えるか否かにかかっている。

　所得階層別に見ると、下位20％の勤労者世帯では、家計を切りつめても、「勤め先収入」と給付金や子ども手当などの「社会保障給付」だけでは生活費が賄えず、赤字になっている状況にある▷図21。

　日本総研・山田久氏の試算では所定内給与と特別給与（一時金等）の増加分のうち消費に回る割合は、所定内給与の方が特別給与より高い▷図22。また、政府による給付金は一時的な消費引き上げ効果はあるものの、安心して暮らしを維持していくためには、低すぎる給与を増やしていくことこそが必要である▷図23。

　わが国の消費全体を回復・増加させるには、月例賃金の改善にこだわり「底上げ」「底支え」「格差是正」をより強力に推し進め、恒常所得を増やしていくことが王道である。

図21［勤労世帯の家計収支］

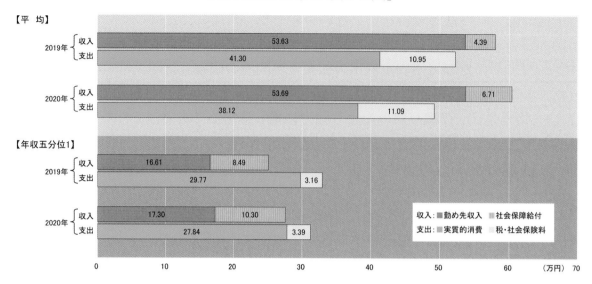

■注 ：「社会保障給付」は「社会保障給付」「特別収入」の合計、「実質的消費」は「消費支出」「保険料」「土地家屋借金返済」「他の借金返済」に「クレジット購入借入金純減」
をプラスにした数値の合計
■出所：総務省統計局「家計調査：家計収支編（二人以上の世帯）」より連合作成

図22 ［所定内給与・特別給与 の増加分のうち 消費に回る割合］

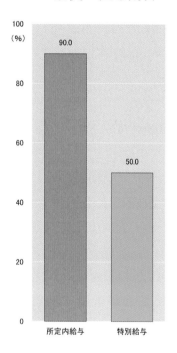

■注 ：日本総研：山田久氏推計（2016年2月）
■出所：内閣府「国民経済計算」、総務省「家計調査」
厚生労働省「毎月勤労統計調査」「国民生活基礎
調査」

図23［特別定額給付金への消費の反応］

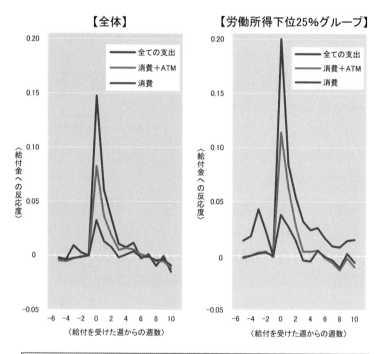

・特別定額給付金10万円が支給された週から数週間にわたり消費が増加した。また定義によるが、
給付金のうち6%～27%が消費として利用された。
・労働所得の低い家計は、他の家計に比べより多くの給付金を消費として利用した。

■注 ：出所の論文は特別定額給付金についての統計的な分析結果をまとめたもので、特定の政策を肯定・否定する
ものではない
■出所：Money Forward Lab 研究員 兼田充氏、早稲田大学政治経済学術院准教授 久保田荘氏、クイーンズランド大
学シニアレクチャラー 田中聡史氏「"Who Spent Their COVID-19 Stimulus Payment? Evidence from Personal
Finance Software in Japan"」（2021年6月）

③「底上げ」「底支え」「格差是正」の考え方と賃金要求指標パッケージ

　2022闘争における「底上げ」「底支え」「格差是正」の考え方と賃金要求指標パッケージは以下のとおりである。

	目的	要求の考え方
底上げ	産業相場や地域相場を引き上げていく	定昇相当分+賃上げ分 （→地域別最低賃金に波及）
格差是正	企業規模間、雇用形態間、男女間の格差を是正する	・社会横断的な水準を額で示し、その水準への到達をめざす ・男女間については、職場実態を把握し、改善に努める
底支え	産業相場を下支えする	企業内最低賃金協定の締結、水準の引き上げ （→特定（産業別）最低賃金に波及）

　　＜賃金要求指標パッケージ＞

<table>
<tr><td rowspan="1">底上げ</td><td colspan="3">産業の「底支え」「格差是正」に寄与する「賃金水準追求」の取り組みを強化しつつ、これまで以上に賃上げを社会全体に波及させるため、それぞれの産業における最大限の「底上げ」に取り組む。賃上げ分2％程度、定期昇給相当分（賃金カーブ維持相当分）を含め2％程度の賃上げを目安とする。</td></tr>
<tr><td rowspan="6">格差是正</td><td colspan="2" align="center">規模間格差是正</td><td align="center">雇用形態間格差</td></tr>
<tr><td>目標水準</td><td>35歳：289,000円
30歳：259,000円</td><td>・昇給ルールを導入する
・昇給ルールを導入する場合は、勤続年数で賃金カーブを描くこととする
・水準については、「勤続17年相当で時給1,750円・月給288,500円以上となる制度設計をめざす」</td></tr>
<tr><td>最低到達水準</td><td>35歳：266,250円
30歳：243,750円
企業内最低賃金協定1,150円</td><td>企業内最低賃金協定1,150円</td></tr>
<tr><td rowspan="2">底支え</td><td colspan="3">・企業内のすべての労働者を対象に協定を締結する
・締結水準は、生活を賄う観点と初職に就く際の観点を重視し、
　「時給1,150円以上」をめざす</td></tr>
</table>

　2021闘争と同様「賃金水準追求」にこだわり、社会機能を支えたいわゆるエッセンシャルワーカーや、地域経済を支える中小企業の労働者、雇用労働者の約4割を占める有期・短時間・契約等労働者の処遇を「働きの価値に見合った水準」に引き上げていく。

　「これまで以上に賃上げを社会全体に波及させる」とは、賃上げの獲得組合が2018闘争をピークに減少していることから賃上げ獲得をもっと広げていこうということ、そのためにそれぞれが最大限の取り組みをするということである。2021闘争と2022闘争では情勢が異なることから、その違いを踏まえた最大限という意味である。

連合の示す「底上げ」の要求目安は、「賃上げ分２％程度」「定期昇給相当分（賃金カーブ維持相当分）を含め４％程度」である。

　「底支え」「格差是正」の水準目標については、2021闘争の水準から引き上げた。これは最低生計費の上昇（連合リビングウェイジの改定額）や労働市場における賃金上昇、賃金実態（公的統計、連合調査）を総合的に勘案した結果である。

　連合内の賃上げ状況を平均賃金方式による「定昇相当込み賃上げ計（率）」で見ると、2020闘争および2021闘争はコロナ禍や経済低迷の影響を受け下がってはいるものの、2014闘争以降概ね２％の賃上げを確保してきた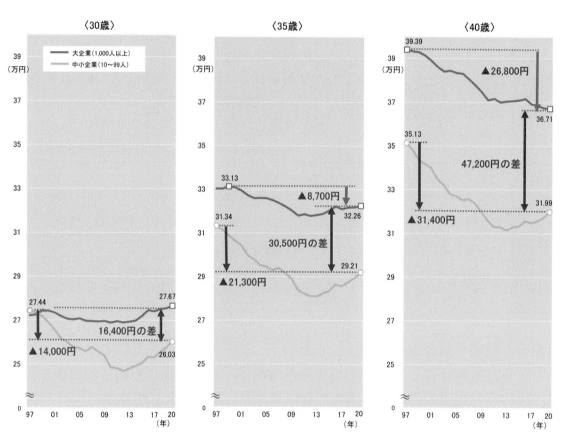P110。この賃上げの流れを止めてはならない。厚生労働省「賃金構造基本統計調査」から高卒標準労働者の所定内賃金水準の推移を見ると、2014年以降上昇傾向にあるものの、日本の賃金水準がピークであった1997年から、年齢が高いほど、また企業規模が小さいほど、下落幅が大きくなっている。つまり、大企業と中小企業の格差は依然として是正されていない図24。

　われわれの賃上げ結果は、地域別最低賃金の決定に影響を与え、企業内最低賃金協定は特定（産業別）最低賃金の決定を左右する。働く者全体の賃金水準の引き上げ・底支えのために、労働組合の果たすべき役割は大きい。

図24［所定内賃金水準の推移とピークからの低下幅］

■注　：回帰分析の手法で所定内賃金水準（男性高卒標準労働者）を算出し、当該年の前後３ヵ年を移動平均したもの
■出所：厚生労働省「賃金構造基本統計調査」より連合作成

④有期・短時間・契約等で働く仲間の処遇改善

　多様な働く仲間が結集できる「みんなの春闘」という視点をより意識して取り組んでいく必要がある。2021闘争では、有期・短時間・契約等で働く組合員にもコロナ禍の影響があったものの、賃上げ率で見るとフルタイムで働く組合員の平均を上回る成果をあげた。

　正社員中心の賃上げからの転換をめざし、はじめてパート労働者の賃上げ目標の設定をしたのが2001闘争であった。その後「パート共闘」を立ち上げるなど取り組みを強化し、同時に組織化も進んだことと相まって、要求組合数、賃上げの成果とも着実に前進してきた。また、同一労働同一賃金の法施行を踏まえて「働きの価値に見合った賃金水準」を意識した取り組みも進んできた。しかし、雇用形態間格差は依然として是正されるには至っていない▶図25。2022闘争では、取り組み組合数と成果の獲得のさらなる前進をはかっていこう。

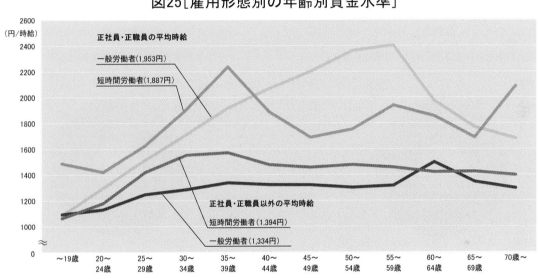

図25[雇用形態別の年齢別賃金水準]

■出所：厚生労働省「2020年賃金構造基本統計調査」より連合作成

⑤賃上げを後押しする環境づくり

　中小企業の経営基盤を強化し、賃上げ原資を確保するためには、働き方を含めた「取引の適正化」が必要である。企業は「サプライチェーン」「バリューチェーン」で互いにつながっており、各段階において生み出された付加価値が適正に評価されない場合、そのしわ寄せは多層構造の下層を構成することが多い中小企業に行ってしまう可能性が高い。「サプライチェーン」「バリューチェーン」でつながるすべての企業が競争力を維持・向上するためには、各段階で生み出された付加価値をそれぞれの段階で適正に評価し、各段階に利益を残し、それを原資として「人への投資」や「設備投資」を実現するなど、付加価値の適正分配が不可欠である。

　政府は、2020年に「未来を拓くパートナーシップ構築推進会議」を設置し、（1）サプライチェーン全体の共存共栄と新たな連携、（2）「振興基準」の遵守、特に、取引適正化の重点5分野（①価格決定方式、②型管理の適正化、③現金払の原則の徹底、④知財・ノウハウの保護、⑤働き方改革に伴うしわ寄せ防止）に重点的に取り組むことを、「代表権のあ

る者の名前」で宣言する「パートナーシップ構築宣言」を通じ、大企業と中小企業がともに成長できる持続可能な関係構築を促してきた。「構築宣言」の登録企業数は2021年12月8日時点で、4,000社を超えた。「構築宣言」公表済み企業を対象とした調査によると、発注側の9割以上が宣言を意識して仕入れ先との取引条件の協議をしているとしたのに対し、受注側企業が「構築宣言」公表済みの取引先が適正取引に努力していると感じた割合は半数超で、両者の意識には依然ギャップがある▐▶図26。

連合としても、中小企業庁などに対し、パートナーシップ構築宣言の推進・拡大や価格交渉月間（2021年9月）の効果検証・フォローアップなどの要請を行っている。

中小企業の経営環境を改善し、分配構造の転換につながり得る賃上げを実現していくためにも、連合本部、構成組織、地方連合会が一体となって、働き方も含めた「取引の適正化」の取り組みを推進していかなければならない▐▶図27。

図26[パートナーシップ構築宣言の効果]

〈発注側〉

－仕入れ先との取引条件の協議における宣言の意識状況－

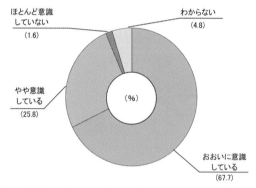

ほとんど意識していない (1.6)
わからない (4.8)
やや意識している (25.8)
おおいに意識している (67.7)
(%)

〈受注側〉

－宣言公表事業者における適正取引の努力姿勢－

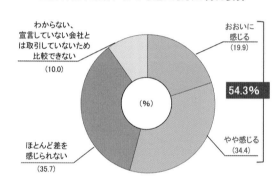

わからない、宣言していない会社とは取引していないため比較できない (10.0)
おおいに感じる (19.9)
54.3%
やや感じる (34.4)
ほとんど差を感じられない (35.7)
(%)

■注 ：〈発注側〉宣言について「知っており、宣言している」と回答した企業のうち、仕入れ先との取引条件の協議において、本宣言をどの程度意識しているか
〈受注側〉取引先に宣言をしている事業者が「いる」と回答した企業のうち、宣言を公表している事業者は、適正な取引となるよう努力する姿勢が強いと感じるか
■出所：（株）帝国データバンク「令和2年度取引条件改善状況調査」

図27[サプライチェーン全体で生み出した付加価値の適正分配]

構成組織
・構成組織本部は、業界・業種団体と「宣言」の意義を共有し、環境整備にむけた提言等を行う。
・加盟組合は労使協議等を通じて、「宣言」意義を共有し、働き方の改善などに労働組合の立場から積極的に参画する。
・労連などを通じグループ全体として促進できる場も活用する。

情報共有

地方連合会
地方連合会は「笑顔と元気のプラットフォーム」などを活用し、地域の関係者と「宣言」の意義を共有することで、労働組合のない地場中小企業や地方自治体に周知し、取り組みを促す。あわせて、公契約条例制定の必要性なども働きかけていく。

情報共有

情報共有

「パートナーシップ構築宣言」による好循環の実現

連合
「宣言」の取り組み状況等について、構成組織や地方連合会と情報共有し、業諸官庁や経済団体との意見交換や「パートナーシップ構築推進会議」で意見具申する。

■出所：連合作成

⑥前段・通年の取り組みとして、労使協議と賃金実態把握を

　厚生労働省「労使間の交渉等に関する実態調査」によると、2017〜2020年の間に団体交渉や労使協議など何らかの労使間の交渉を持った労働組合のうち、賃金・退職給付に関して交渉・協議した組合が75％だったのに対し、経営に関する事項では41％にとどまっている▶図28。コロナ禍も相まって、経営方針などが雇用や労働条件にも影響を与える可能性が高まっており、労働組合は労使協議などを通じて、産業や企業の現状と見通しに関する情報、今後の経営計画などについて常に把握しておく必要がある。それは労働組合の交渉力強化にもつながる。また、労使で合意した事項は労働協約としてきちんと締結しておく必要があるが、企業規模が小さいほど労働協約の未締結割合が高くなっている▶図29。

　また、労働組合が個人別の賃金実態を把握することも重要である。自らの賃金実態を構成組織や連合・地方連合会が示す社会的な賃金指標や生計費の指標などと比較することではじめて、是正すべき格差を具体的に捉え、めざすべき目標を設定することができる。連合「労働条件等の点検に関する調査（全単組調査）」（2021年度速報値）では、約3分の1が「把握できていない」と回答しており、改めて賃金実態把握の強化をはかる必要がある。

図28［過去3年間における何らかの労使間の交渉があった事項別割合（複数回答）］

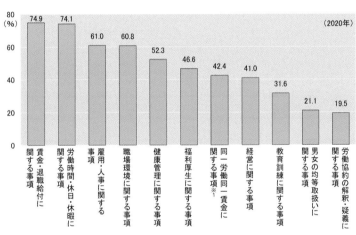

■注　：過去3年間とは、2017年7月1日から2020年6月30日までをいう
■出所：厚生労働省「令和2年労使間の交渉等に関する実態調査の概況」（2021年6月）

図29［労働協約の未締結組合の割合］

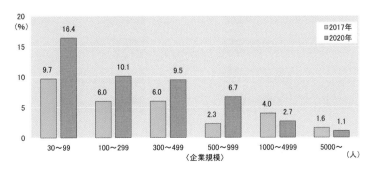

■出所：厚生労働省「令和2年労使間の交渉等に関する実態調査の概況」（2021年6月）

4－3.「働き方」の改善

①豊かで社会的責任を果たし得る生活時間の確保

　2022闘争では、賃上げに並ぶ大きな柱として「すべての労働者の立場にたった働き方」の改善を掲げている。賃金のみならず、働き方の改善への分配も含め取り組む必要がある。

　ワーク・ライフ・バランスという言葉が使われるようになって久しいが、国民の意識を国際比較すると、依然として大きな差がある。内閣府「少子化社会に関する国際意識調査」（2020年）によると、スウェーデンでほぼ全員、フランスとドイツでは約8割の人が「子どもを生み育てやすい国」だと答えている一方、日本は4割を下回っている▮❱図30。また、6歳未満の子どもを持つ夫婦の家事・育児関連時間の国際比較では、妻の負担の大きさが顕著である▮❱図31。こうした背景には、子育てに関する社会インフラ整備に差があることに加え、男性正社員の長時間労働を所与とする労働慣行、根強い性別役割分担意識の問題などがあると考えられる。

　誰もが豊かで社会的責任を果たしうる生活時間を確保できるよう、企業内の労働条件・労働環境の整備とあわせ、社会や家庭など様々な分野で総合的な取り組みを進め、未来を変えていく必要がある。

図30[子どもを生み育てやすい国だと思うか（4ヵ国比較）]

（2020年）

	とてもそう思う	どちらかといえばそう思う	どちらかといえばそう思わない	全くそう思わない	無回答
日本	4.4	33.8	47.2	13.9	0.7

38.3%

フランス	25.5	56.5	15.7	1.9	0.4

82.0%

ドイツ	26.5	50.5	17.4	5.4	0.2

77.0%

スウェーデン	80.4	16.7	1.4	0.8

97.1% 0.7

■出所：内閣府「少子化社会に関する国際意識調査」（2020年）

図31[6歳未満の子どもを持つ夫婦の家事・育児関連時間（週全体平均）（1日あたり、国際比較）]

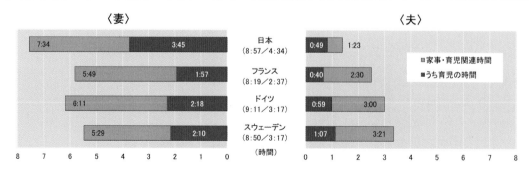

〈妻〉

	家事・育児関連時間	うち育児の時間
日本（8：57／4：34）	7：34	3：45
フランス（8：19／2：37）	5：49	1：57
ドイツ（9：11／3：17）	6：11	2：18
スウェーデン（8：50／3：17）	5：29	2：10

〈夫〉

	家事・育児関連時間	うち育児の時間
日本	0：49	1：23
フランス	0：40	2：30
ドイツ	0：59	3：00
スウェーデン	1：07	3：21

■注　：日本の値は、「夫婦と子どもの世帯」に限定した夫と妻の1日あたりの「家事」、「介護・看護」、「育児」および「買い物」の合計時間（週全体平均）。国名の下に記載している時間は、左側が「家事・育児関連時間」の夫と妻の時間をあわせた時間。右側が「うち育児の時間」の夫と妻の時間をあわせた時間
■出所：総務省「社会生活基本調査」（2016年）、Bureau of Labor Statistics of the U.S. "American Time Use Survey"（2018年）およびEurostat "How Europeans Spend Their Time Everyday Life of Womenand Men"（2004年）より作成

②年間総実労働時間1800時間の実現と「働き方改革」の周知徹底

コロナ禍の影響で、2020年の一般労働者の年間総実労働時間は1925時間と、前年に比べ53時間減少したが、生産活動の回復に伴い、時間外労働時間は、2021年4月以降プラスに転じ増加を続けている（厚生労働省「毎月勤労統計調査」）。年次有給休暇の取得日数は法改正の影響もあって増えているものの、2020年の平均取得率は57％にとどまり、企業規模間格差も依然として大きい（厚生労働省「就労条件総合調査」）。年間総実労働時間1800時間の実現に向けて引き続き取り組む必要がある。そのためにも、生産計画などに対応した適正な要員配置と所定内賃金で生活できる賃金水準を確保することが重要である。

2021年には過労死等防止対策大綱の改定と過労死認定基準の20年ぶりの見直しが行われた。労働組合としても、働く仲間から寄せられる声に真摯に耳を傾け、長時間労働の削減や、ハラスメントのない職場づくりに尽力し、過労死等ゼロを実現しなければならない。

時間外労働の罰則付き上限規制と同一労働同一賃金などを柱とする「働き方改革」をすべての職場に定着させていくことも重要な課題である。帝国データバンク「取引条件改善状況調査」によると、調査時点で「対応済み」と答えた企業は半数程度にとどまり、企業規模が小さいほど対応できていない実態にある 図32。働き方改革への対応方針として、3割程度の企業が「採用人数を増やして対応する」としており、働き方改革を進める上でまず人員を確保することが重要と考えている企業も一定数存在している 図33。「2022連合アクション」の取り組みなどを通じ、労働組合のない職場への意識喚起や労働相談による対応をはかるとともに、いわゆるブラック企業に対しては行政による指導や取り締まりを強化していく必要がある。

2022闘争方針で掲げている項目は、長時間労働の是正、有期・短時間・契約等で働く仲間を含むすべての労働者の雇用の安定、同一労働同一賃金の法施行を踏まえた均等・均衡待遇の実現、60歳以降の雇用と処遇に関する取り組み、テレワークに関する取り組み、障がい者雇用に関する取り組みなど多岐にわたる。それぞれの職場の実態や特徴を踏まえ、総体的な検討と協議を行っていこう。

また、感染症リスクを回避し、業種ごとのガイドラインに即した職場環境整備にも引き続き取り組む必要がある。

図32［働き方改革（全般）への対応状況］

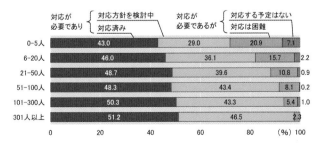

■注　：受注側事業者向けアンケートを集計したもの。働き方改革関連法に対する理解度の質問で、「年次有給休暇の確実な取得」、「時間外労働の上限規制」、「同一労働・同一賃金の実施」のいずれか1つでも「十分に理解している」、「概ね理解している」と回答した企業に対して聞いたもの。対応状況に関する質問で、「対応の必要はない」、「対応の要否がわからない」と回答した企業を除いて集計している
■出所：(株)帝国データバンク「取引条件改善状況調査」(2020年10月)

図33［働き方改革への対応方針］

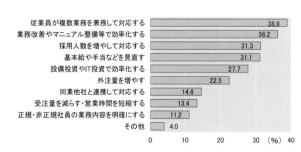

■注　：受注側事業者向けアンケートを集計したもの。複数回答のため、合計は必ずしも100%にならない。働き方改革全般への対応状況に関する質問で、「対応が必要であり、対応済み」、「対応が必要であり、対応方針を検討中」と回答した企業に対して聞いたもの
■出所：(株)帝国データバンク「取引条件改善状況調査」

4－4．ジェンダー平等・多様性の推進

　最新のジェンダーギャップ指数では、日本は156ヵ国中120位で、先進国では最低レベル、アジア諸国では中国や韓国、ＡＳＥＡＮ諸国をも下回る結果となっている。その要因の一つが、男女間の賃金格差である。

　男女の平均勤続年数や管理職比率の差異はもとより、固定的性別役割分担意識などによる仕事の配置や配分、教育・人材育成における男女の偏りなど、人事・賃金制度および運用の結果が男女間の賃金の差異に表れている。

　とりわけ、コロナ禍は従前から存在していた男女間賃金格差をより拡大させており、非正規雇用の約７割を占める女性労働者の雇用が不安定化し、生活面への影響が大きく出ている。職場における男女間賃金格差の是正に取り組むことで、非正規雇用も含めたすべての働く女性の格差是正と貧困の解消につなげなければならない。

4－5．運動の両輪としての政策・制度実現の取り組み

　格差是正を進めるためには、社会保障や税制を通じた所得再分配が欠かせないが▶図34、日本は税や社会保障による所得再分配効果が先進国の中でも低い▶図35。連合は、2019年に確認した「社会保障構想」「教育制度構想」「税制改革構想」をベースとして、持続可能で責任ある改革をはかるべく粘り強く取り組んでいく。

　コロナ禍が続く中にあって、雇用と生活を守り、経済を再生させていく上で、2021年12月に成立予定の経済対策・補正予算および2022年度予算案は重要である。連合は、「2021年度重点政策」などを踏まえ、通常国会対策として、働く者の暮らしに直結する重要法案を見極め、必要な対応をはかっていく。

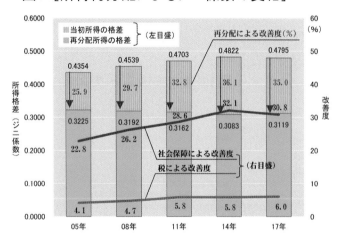

図34[所得再分配によるジニ係数の変化]

■注：ジニ係数は社会における所得の不平等さを測る指標。0はすべての世帯が同一所得で、1は1世帯がすべてを独占した状態。1に近づくほど不平等が増していることを示す
■出所：厚生労働省「平成29年所得再分配調査」

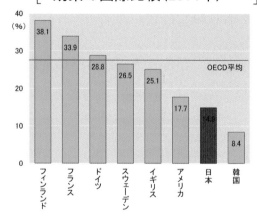

図35［税や社会保障による所得再分配効果の国際比較（2014年）］

■出所：OECD「Income Inequality Updata」（2016年）

5. おわりに

　2021年10月、政府は、「成長と分配の好循環」と「コロナ後の新しい社会の開拓」をコンセプトとする新たなビジョン策定とその具体的政策をつくるため、「新しい資本主義実現会議」を立ちあげた。連合会長も有識者構成員として参画し、働く者・生活者の立場から意見反映をしている。

　2021年11月の会議では、賃金・人的資本がテーマとなった。連合からは、すでに2022春季生活闘争方針案をとりまとめた旨を発言したうえで、政府に対して、

①中小企業が賃上げしやすい環境を整えること。そのために、「パートナーシップ構築宣言」の拡大と実効性確保、賃上げしようとする労使に対して影響力のある企業や金融機関などから圧力がかからないような社会的雰囲気を醸成すること。

②看護、介護、保育などで働く労働者の処遇改善は一時的な助成措置だけでは不十分であり、働きの価値に見合った賃金水準実現を後押しする継続的な施策が必要であること。

③男女間賃金格差の解消に向けた取り組み強化と男女がともに働きやすい環境を整備すること。

などを求めた。

　政労使が、わが国の現状と課題について認識をすりあわせ、「底上げ」「底支え」「格差是正」に資する施策などにより環境を整えることは有意義であるが、労働条件を交渉し決定するのは労使である。労働組合だからこそ、法的裏付けを持って要求し交渉することができる。労働組合が前に出て、国民生活全体の維持・向上をはかる「けん引役」を果たしていかなければならない。

　また、足下では、新型コロナウイルスの新たな変異株の出現や原油価格・資源価格の上昇など、先行き不透明感を高める要因も出てきている。目の前の対応として、感染防止対策に引き続き注力するとともに、適正な価格転嫁をはじめとする政策対応が必要であるが、同時に、多くの国民が、先行きが見えにくいと感じているからこそ、未来につながる一歩をみんなで踏み出すことが大事である。成長しても働く者に分配されてこなかった、この20数年来の日本社会の課題をしっかりと認識し、みんなの未来をみんなでつくっていこう。

ＵＡゼンセンの雇用形態間格差是正の取り組み

　ＵＡゼンセンは、生活に関連する多様な業種で働く労働者が集まる産業別組織であり、その特徴として、「中小組合」「女性」「パートタイマー等の短時間労働者」が多いことが挙げられる。このため、賃金をはじめとする労働条件闘争においては、産業間格差・規模間格差・雇用形態間格差・男女間格差の是正に取り組んできた。

　特に、雇用形態間格差の是正については、2012年11月のＵＩゼンセン同盟とサービス・流通連合の統合によるＵＡゼンセンの結成以来、組織人員の過半を短時間組合員（正社員以外の組合員）が占めるようになったことを受けて、運動方針に掲げ、労働条件闘争方針にも盛り込んで取り組んできた。

> ＜結成（統合）大会（2012年11月）2013～2014年度運動方針・重点方針＞
> 　ＵＡゼンセンは短時間・派遣などの多様な働き方を尊重し、労働時間・雇用形態などによる不合理な格差を点検・解消していかなければならない。均等・均衡処遇の実現にむけた運動については、これまで両産別が取り組んできた内容・経緯をふまえ、ＵＡゼンセンとしてさらに課題整理を進め、運動を強化していく。

　パートタイマー・契約社員を中心とする短時間組合員の処遇改善については、制度を点検した上で正社員との均等・均衡処遇をめざす取り組みを進めている。ＵＡゼンセンでは、2018年７月に成立した「働き方改革関連法」により雇用形態間の不合理な待遇差をなくすためのルールが新設・強化される以前から闘争方針に掲げてきたため、法改正にあたって大きく方針を変えるといった対応はとらなかった。2020年４月の改正法施行に向け、加盟組合においては①雇用形態ごとの実態を把握し、②雇用形態間の待遇差が不合理なものか確認を行った上で、③不合理と認められる可能性がある場合には改善に向けた検討を進める、との考え方を示し、労働条件闘争において取り組みを進めた。

　2020闘争においては、パートタイマーでは賃金引き上げを要求した448組合中399組合、契約社員では176組合中166組合が要求の段階で正社員との処遇格差の点検を行った。賃金闘争においては、最終まとめ（７月）の時点で、５年連続で妥結率が正社員組合員を上回り▶右図、通勤手当、家族手当、慶弔休暇、病気休暇等の改善も進んだ。コロナ禍と法改正が並行する中ではあったが、均等・均衡処遇の実現に向けて、現場の声を反映した要求と労使の真摯な協議・交渉によって改善が進んだ。

[ＵＡゼンセン労働条件闘争・賃金闘争結果]

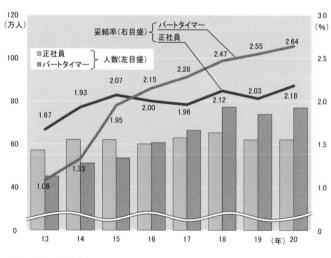

■注　：各年７月末時点

同闘争においては、スーパーマーケットの組合が集まる部会が、部会独自の要求基準で、「慶弔休暇制度の均等待遇」について「短時間組合員と正社員組合員の制度内容に差異がある場合、均等待遇の観点から正社員組合員と同様の制度となるよう要求する」こととした。これは「家族のご不幸に対し、例えば喪主となったら必要な休暇日数は雇用形態で変わらない、休めるようにしてほしい」といった現場の声が反映された結果である。2021年6月のＵＡゼンセン労働条件実態調査では、同部会の回答組合（53組合）の8割弱が「社員同様の有給の慶弔休暇制度がある」としている。

　2021闘争においては、家族手当や住宅手当の改善が進んだ。2017年に実施したＵＡゼンセン組合員意識調査において、女性短時間組合員の6.3％が「シングルマザー」と回答し、当時のＵＡゼンセンの女性短時間組合員約80万人を基礎として単純に計算すると約5万人の組合員がシングルマザーという計算になった。このことから、2017年12月に「ひとり親支援の取り組み」を中執確認し、労働条件闘争方針の中で家族手当について、短時間組合員に対しても正社員組合員の支給基準に該当する場合は支給できるようにすることを盛り込んだ。要求・改善に至った組合に聞いたところ、「組合員アンケートからひとり親支援を求める声が多くあったので取り組んだ」とのことだった。パートタイマーがメンバーとなる委員会や相談窓口を設置したところも出てきている。

　パートタイマーをはじめとする短時間組合員の多くは時給制である。基本給の引き上げは、2020年に地域別最低賃金が引き上げられなかったため厳しい交渉となったが、均等・均衡処遇の実現という視点では、「同一労働同一賃金」の法規定が2021年4月から中小企業にも適用となる中、2020年に一定程度進んでいたことから解決組合数は減ったものの、2019年、2020年から引き続き雇用形態間格差の是正の流れは続いていると評価している。

　2021闘争のまとめ議論の際、「厳しい状況ではあったが労使が真摯に議論し解決に向けて努力したことは評価できるのではないか」との意見もあった。

　ＵＡゼンセンは2016年1月に決定した「2025中期ビジョン」において、「シビアケース（深刻事例）の撲滅」を掲げて取り組んでいる。組合員には、医療・介護、小売、飲食、ホテル、物流・交通、医薬品等製造販売など、コロナ禍において顧客と接し感染リスクが高い業種や生命に係わる業種で働いている仲間が多数おり、その中には短時間組合員も多い。また、コロナ禍では有期雇用労働者やシフト勤務者、さらにはひとり親や就職氷河期世代の独身女性などへの影響が大きかったが、組合員からシビアケースを出さないよう取り組んでいる。

　ＵＡゼンセンでは、同じ職場で働く組合員を「非正規労働者」とは呼ばない。現場ではすでに基幹化・戦力化されているパートタイマー・契約社員も多い。「生活を十分に保障する賃金」「同一価値労働同一賃金」を基本とし、現場の声を大事にした要求と交渉で改善が進んだ。これからも働きがいのある職場づくりと労働条件の向上をめざしていく。そして、組織された労働者・労働組合の労使の交渉の成果を、集団的労使関係の枠組みに入れていない未組織労働者に波及させ、さらに仲間にしていくことで、シビアケースの撲滅につなげたい。

ＪＡＭ賃金・全数調査と賃金プロット図の取り組み

　ＪＡＭは1999年の結成以来、「賃金・全数調査（以下、調査）」を実施し、2021年で22回目となった。調査では、ＪＡＭに加盟する組合員の個人別賃金と年齢・勤続・性別・学歴といった属性データを回収しており、2021年は872単組264,117人分の賃金データを集めた。調査データは、単組およびＪＡＭの賃金実態の把握・分析と要求立案に活用する。

　どちらも年齢別の平均値や分位数などの特性値の算出は行うが、縦軸に賃金額、横軸に年齢をとった「賃金プロット図」（賃金の年齢別度数分布表）による取り組みがポイントとなる。年齢ごとに賃金の高い方の水準、低い方の水準、並数、分位数など賃金構造が直感的に把握できるからである。また、自分の賃金がどこに位置しているかも一目瞭然である。「賃金プロット図」を見ると、まず自分の賃金がなぜこの水準なのかという疑問が浮かぶ。組織労働者の賃金は、毎年の労使交渉と労使確認された賃金制度にもとづいて決定されているため、団体交渉メンバーはその疑問に答える必要も出てくる。賃金要求と格差是正は、自らの賃金実態を把握し、問題意識を持つことがスタートとなる。

　単組では、調査データを分析し、企業内賃金格差および企業間賃金格差是正の要求策定に活用する。取り組みの概要は「要求の流れ」▷図1のとおりである。具体的な手法の詳細については、連合が「How to 個別賃金」「HOW to 賃金カーブ」など、分かりやすい資料を作成しているので参考にしていただきたい。

　「賃金プロット図」活用により、企業内の賃金格差を見える化し、基準となる労働者の選定や是正の優先順位づけについて職場討議を徹底し要求決定することで、組合員の参加意識を高めることができる。過去の「賃金プロット図」と比較し変化を見ることで、中長期的な賃金制度の運用について確認し、中長期的な是正目標を設定することもできる。また、年齢プロポーションのばらつきの確認や将来予測など様々な活用が可能である▷図2。

図1［個別賃金要求の流れ］

準　備：会社へ賃金データの提出を要求する。または　給与明細の写しを組合員から集める。

作業１：個人別賃金をプロットする。また、男女、中途、学歴別など比較し、あっていい賃金差、あってはならない格差などを明確にし、賃金構造上の課題や問題点を抽出する。

作業２：ＪＡＭの標準労働者到達基準、一人前ミニマム基準（全ての一人前労働者の到達基準）、年齢別最低賃金基準をプロット上に描いてみる。

作業３：職務分析を行い、職場を代表する組合員を選定し、実態モデルの賃金カーブを策定する。（賃金構造維持分が確定）

作業４：ＪＡＭが示す「一人前ミニマム」などの賃金水準を参考にし、めざすべき賃金カーブを描く。（ベア分・賃金改善分・格差是正分が確定）

交　渉：めざすべき個別賃金水準との差、カーブの歪みを確認し、要求する。

図2［単組の賃金プロット図（イメージ）］

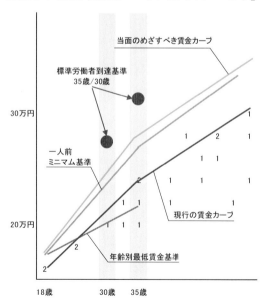

しかしながら、中小企業労組の多くは、専従者がいないこともあり、十分な活用ができていない現実もある。ＪＡＭでは、要請があれば地域の担当者が単組を訪問し、調査の必要性を説明し、現場を知っている単組役員と一緒になって賃金データを分析し要求書を作る。この取り組みがデータ回収にもつながっている。また、連合でも「地域ミニマム運動」として、参加単組に「賃金プロット図」や賃金特性値を戻し、単組交渉を応援する取り組みを展開している。

　ＪＡＭに集まった賃金データで、中小企業を含む日本の製造業で働く26万人の「賃金プロット図」（2021年版）▷図3が出来上がる。分布を見て感じることは、「もし全員が同じ企業で働く組合員であったらこれほどまでのばらつきが生じるのだろうか」「許容されるのだろうか」という疑問である。単組であれば、「賃金プロット図」をもとにした分析や社内ルールによって様々な是正が行われ、これほどまでのばらつきは生じないのではないだろうか。

　ＪＡＭでは、賃金データをもとに標準労働者の到達基準と目標基準、一人前ミニマム基準、年齢別最低賃金基準といった４つの企業横断的な賃金水準の指標を設定している。加盟単組はその水準を指標とし中期的な到達をめざす。この取り組みは、製造業で

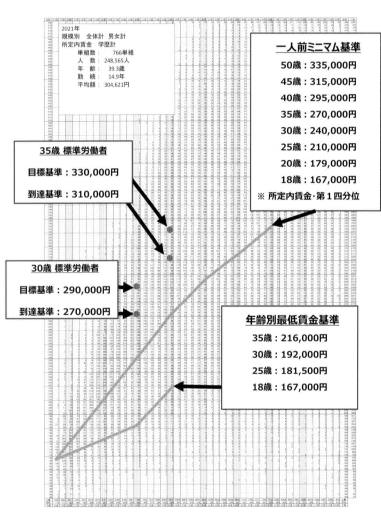

図3[JAM賃金プロット図と個別要求基準]

2021年
規模別　全体計　男女計
所定内賃金　学歴計
　　単組数：　766単組
　　人　数：　248,565人
　　年　齢：　39.3歳
　　勤　続：　14.9年
　　平均額：　304,621円

一人前ミニマム基準

50歳：335,000円
45歳：315,000円
40歳：295,000円
35歳：270,000円
30歳：240,000円
25歳：210,000円
20歳：179,000円
18歳：167,000円

※ 所定内賃金・第１四分位

35歳 標準労働者

目標基準：330,000円
到達基準：310,000円

30歳 標準労働者

目標基準：290,000円
到達基準：270,000円

年齢別最低賃金基準

35歳：216,000円
30歳：192,000円
25歳：181,500円
18歳：167,000円

働く仲間の賃金水準の相場を形成することにより社会的公正労働基準を設定していくことを運動目標としている。また、同様の目的で前述した連合の「地域ミニマム運動」に参加している。政府統計と違い、単組・組合員が主体的に運動に参加し集められた個人別賃金データは実態を反映したもので、価値がある。また、中期的な分配構造の転換、格差是正と「働きの価値に見合った賃金水準」を意識した取り組みには、比較対象となる様々な賃金水準の相場が必要となり、その一つとして地域ごとに産業を超えた企業横断的な賃金水準の相場形成やミニマム水準の設定が求められる。

「長時間労働につながる商慣習の見直し」に向けた損保労連の取り組み

【取り組みに至った経緯】

2017年3月、政府は、わが国の労働時間が欧州諸国と比較して長く、この20年間ほぼ横ばいで推移してきた実態を問題視し、「働き方改革実行計画」において、長時間労働の是正をはかる必要があるとの方針を示した。損保グループ産業内においても、フルタイム労働者の年間総労働時間が同「計画」で問題視された2000時間を上回る実態にあり、長時間労働の是正に向けて課題を検討していく中で、組合員へのヒアリングなどから、取引先との営業時間外の電話や至急の対応依頼など、双方の長時間労働につながる個別対応が習慣化している実態があること（これを「長時間労働につながる商慣習」 図1という）が明らかになった。そこで、損保労連では、長時間労働の是正に向けた環境整備の一環として、取引先と損保グループ産業の組合員がお互いに「**相手の働き方に配慮する**」との考えを前提に、日々の業務を見直していく必要があるとの認識のもと、「**長時間労働につながる商慣習の見直し**」に向けた取り組みを開始した。

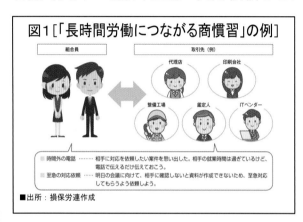

図1[「長時間労働につながる商慣習」の例]

■ 時間外の電話 …… 相手に対応を依頼したい案件を思い出した。相手の就業時間は過ぎているけど、電話で伝えるだけにしておこう。

■ 至急の対応依頼 …… 明日の会議に向けて、相手に確認しないと資料が作成できないため、至急対応してもらうよう依頼しよう。

■出所：損保労連作成

【これまでの取り組み】

～組織内外への働きかけ～

損保労連内では、全国各地の組合員とのディスカッションや業界経営との意見交換を実施したほか、環境整備方針にも取り入れ、また、組織外に対しては、業界団体との共同宣言の締結や他構成組織とのトップ対談などを開催し、お互いに「相手の働き方に配慮する」ことの重要性の理解浸透に努めてきた。2019年10月には、連合の運動方針の重点分野に、商慣習の見直しの徹底が盛り込まれるなど、運動の輪は着実に広がってきている。

～政労使学を招いたシンポジウムの開催～

商慣習 図2はあらゆる産業間に介在していることから、その見直しに向けては、お互いに「相手の働き方に配慮する」意識が社会全体に浸透していくことが重要である。またコロナ禍を経験する中で、「柔軟な働き方の推進」の観点でも、お互いに「相手の働き方に配慮する」ことの重要性が高まっているとの考えに至った。

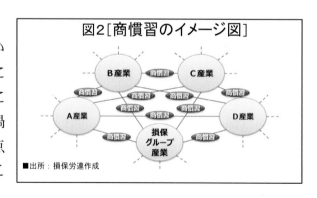

図2[商慣習のイメージ図]

■出所：損保労連作成

これらの課題認識から、2021年4月14日に、組織内外でお互いに「相手の働き方に配慮する」ことに対する理解浸透につながる世論喚起をはかるべく、省庁、連合、他構成組織、経済団体や有識者などを招いてシンポジウムを開催した。

図3[政労使学を招いて開催したシンポジウムの様子]

　当日の基調講演やパネルディスカッション▮▶図3での意見交換などを通じて、お互いに「相手の働き方に配慮する」ことは、長時間労働の是正はもとより、多くの労働者がテレワークなどの柔軟な働き方をさらに取り入れていくことや、「しわ寄せ」防止、「公正な取引慣行」の実現など、社会全体でより良い働き方を実現することに向けた環境整備にも寄与することを改めて確認し、ひいては公益にも資することを認識した。

【今後の取り組み】
　損保労連では、お互いに「相手の働き方に配慮する」との考えを社会全体に浸透させるべく、引き続きの意見発信に加え、それぞれの産業で働く労働者が、どのようなことに困っているのか、実態を確認し合うとともに、損保グループ産業と取引のある産業との間に生じている課題解消に向けて、他構成組織と個別に意見交換していきたいと考えている。
　それらを通じ、産業の枠を超え社会全体に、お互いに「相手の働き方に配慮する」との考えを広めていくことにより、公益に資する環境整備を進め、すべての働く仲間のディーセント・ワーク実現をめざしていく▮▶図4。

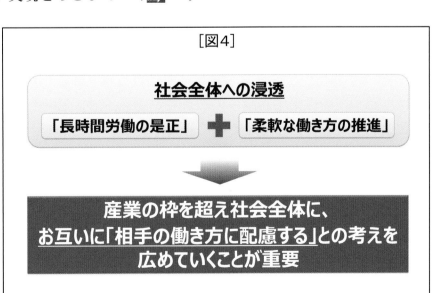

[図4]

社会全体への浸透

「長時間労働の是正」　＋　「柔軟な働き方の推進」

**産業の枠を超え社会全体に、
お互いに「相手の働き方に配慮する」との考えを
広めていくことが重要**

「ジョブ型雇用」に関する報道について

　「ジョブ型雇用」というワードを目にすることが多くなった。しかし、論者それぞれが独自の定義で、あるいは定義もないまま使われているようだ。

　経団連「2020年版経営労働政策特別委員会報告」では、「当該業務等の遂行に必要な知識や能力を有する社員を配置・異動して活躍してもらう専門業務型・プロフェッショナル型に近い雇用区分をイメージしている。『欧米型』のように、特定の仕事・業務やポストが不要となった場合に雇用自体がなくなるものではない」「ただちに自社の制度全般や全社員を対象としてジョブ型への移行を検討することは現実的ではない」としている。

　一方、あるマスコミの解説記事では、「ポストに必要な能力を記載した『職務定義書』を示し、労働時間ではなく成果で評価する。職務遂行の能力が足りないと判断されれば欧米では解雇もあり得る」と書いている。

　両者に出てくる「欧米型」とはいかなる特徴を持っているのか。米国とドイツ・フランスなどの欧州諸国をひとくくりにはできないので、日本と同様に労使間で雇用・労働ルールを積み重ねてきた欧州型を見ておこう。主な特徴は、①入職時に特定の職務につく契約を結ぶ、②賃金は実際に行っている仕事によって決まり人事査定のない職務給が基本、③仕事がなくなれば雇用も失われるが厳格な解雇規制ルールもある、の３点である。あえて日本に引き直せば、③を除き、契約・派遣等の労働者に近いといえる。

　一部のマスコミなどが「ジョブ型雇用」をこれからの日本がめざすべき方向だと喧伝していることについて、ある有識者は「見事な失敗に終わった成果主義を、もういっぺん今度は成果を測定する物差しとしてのジョブを明確化することによって再チャレンジしようとしている」「本来（欧州型）のジョブ型雇用を実践する気は毛頭ない」「おかしなジョブ型論ばかりが世間にはびこっている」と批判している。

　一方、ＡＩ関係など高いスキルを持つ高度専門人材を一般採用とは別枠で採り、特別な処遇をする日本企業もある。

　人に仕事をつける雇用慣行をベースとする日本と仕事に人をつける欧米の雇用システムで違いがあるのは当然であり、それぞれにメリット・デメリットがある。定義すら共通理解がないまま、「ジョブ型雇用」というワードだけで職場実態と乖離した議論をするのは不毛である。労使は、かつての成果主義論争の教訓を踏まえつつ、職場に根差した問題意識を持って人事・賃金制度のあり方を考えていく必要がある。

II

2022
春季生活闘争

闘争方針

2022春季生活闘争方針

2022春季生活闘争スローガン：未来をつくる。みんなでつくる。

Ⅰ．2022春季生活闘争の意義と基本スタンス

1. コロナ禍にあっても「働くことを軸とする安心社会」の実現に向け、働く仲間が共闘し未来へ の一歩を踏み出そう。

　足下の経済指標は回復基調にあり、コロナ禍の影響や世界経済の不安定要因など先行き不透明感はあるものの、2021年度末にはコロナ前のGDP水準をほぼ回復し、2022年度には超えることが見込まれる。

　一方で勤労者家計は長期にわたり低迷し、コロナ禍で我慢を強いられている。セーフティネットが脆弱なため、有期・短時間・契約等労働者などが深刻な影響を受けている。経営基盤の弱い中小企業やコロナ禍の影響が大きい産業で働く労働者も厳しい状況にある。とりわけ、非正規雇用の約7割を占める女性労働者の雇用の不安定さや生活面への影響が大きい。また、依然として是正されない男女間賃金格差をより拡大させ、固定化している。したがって、これまで以上に取り組みを強化する必要がある。

　その根っこには、不安定雇用の拡大と中間層の収縮、貧困や格差の拡大などコロナ以前から積み重なってきた分配のゆがみがあり、また、人口動態やライフスタイル、産業構造の変化など中長期を展望して対応しなければならない課題がある。

　今こそ、「働くことを軸とする安心社会」の実現に向けて、働く仲間の力を結集し現状を動かしていくべき時である。それは主体的に未来をつくっていく労働運動の社会的責任でもある。われわれは、経済の後追いではなく、経済・社会の活力の原動力となる「人への投資」を積極的に求める「未来づくり春闘」[1]を展開していく。

　2022春季生活闘争は、「総合生活改善闘争」の位置づけのもと、国民生活の維持・向上をはかるため、労働組合が前に出て、こうした社会・経済の構造的な問題解決をはかる「けん引役」を果たす闘争として組み立てる。

2. すべての組合が賃上げに取り組むことで、「底上げ」「底支え」「格差是正」の取り組みを加速させ、分配構造を転換する突破口とする。働き方の改善、経済対策などとセットで経済を自律的な回復軌道にのせる。

　2022春季生活闘争においては、①賃上げ、②働き方の改善、③政策・制度の取り組みを3本柱として、感染症対策をはかりながら景気を安定的に回復させつつ、中期的に分配構造を転換し「働くことを軸とする安心社会」の実現への道を切り拓いていく。

　連合は、2014闘争以降、月例賃金の引き上げにこだわり、賃上げの流れを継続・定着させてきた。フルタイムで働く組合員については、賃上げ分が明確にわかる中小組合の賃上げ分が率で全体を上回り、有期・短時間・契約等で働く組合員の賃上げがフルタイムで働く組合員の平均を上回るなど、格差是正と「働きの価値に見合った賃金水準」を意識した取り組みが前進している。雇用の確保を大前提に、それぞれの状況の違いを理解しながら、すべての組合が賃上げに取り組

---

[1] 連合の正式な用語としては「春季生活闘争」を用いるが、組織外への発信として短くなじみやすい表現として「春闘」を用いる

むことを基本に据え、全体の底上げと同時に規模間、雇用形態間、男女間などの格差是正の流れを加速させる。

コロナ禍にあって誰もが安心・安全に働くことができること、超少子高齢・人口減少社会という大きなトレンドを踏まえ個々人のニーズにあった多様な働き方が選択できるようにすることは喫緊の課題である。引き続き、長時間労働是正、有期・短時間・契約等労働者の雇用安定や処遇改善、65歳までの定年引き上げや70歳までの雇用確保、テレワークの導入、障がい者雇用の取り組み、ハラスメント対策など、働き方の改善に取り組む。

国内外の経済下振れリスクがある中で、こうした「人への投資」を積極的に行うことこそ、経済の好循環を起動させ、自律的な回復軌道にのせていくカギになる。

雇用不安・将来不安を払しょくし景気を安定的に回復させるうえで、経済対策、補正予算、2022年度予算による政策的下支えは重要である。雇用対策には万全を期す必要があり、雇用調整助成金の特例措置等各種支援策の延長とその財源の確保、社会的セーフティネットの維持・強化に全力で取り組む。

3. 「みんなの春闘」[2]を展開し、集団的労使関係を広げていこう。

引き続き、生産性三原則にもとづく建設的な労使交渉を通じ成果の公正な分配をはかり、広く社会に波及させていく。社会的影響力を高めるには、より多くの働く仲間を結集することが必要であり、多様な働く仲間を意識した取り組み展開ができるよう工夫する。

春季生活闘争は、労働組合の存在意義をアピールできる場でもある。組織化と連動し、集団的労使関係を社会に広げていく機会とする。すべての働く仲間を視野に入れ社会的課題を解決していくには、企業労使間の交渉のみならず、国・地域・産業レベルでの政労使の対話が不可欠である。あらゆる機会を通じて対話を重ね相互理解を深めていく。

Ⅱ. 2022春季生活闘争取り組みに向けた基盤整備

1. 雇用の維持・創出、社会的セーフティネットの維持・強化、労使協議の実施

コロナ禍で大きな影響を受けている産業・企業や雇用保険でカバーされていない労働者などへの対応が必要である。連合は、在籍型出向や雇用調整助成金等政策・制度面から雇用・生活対策に引き続き取り組む。また、コロナ禍で大きな影響を受けている構成組織などとも連携をはかりながら、交渉の環境づくりに取り組む。

構成組織や加盟組合においては、労使協議等を通じ、産業や企業の現状と見通しに関する情報や今後の計画などについて十分把握し、必要な対応をはかる。

2. サプライチェーン全体で生み出した付加価値の適正分配

企業規模間格差是正を進めるためには、サプライチェーン全体で生み出した付加価値の適正分配が必須であり、産業の特性に合わせ、働き方も含めた「取引の適正化」を進める。政府が進める「パートナーシップ構築宣言」の取り組みを広げ、実効性を高める。連合は、闘争の前段において、政府への要請活動や経営者団体との懇談会などを通じ、取り組みを進める。

組合員は消費者として、倫理的な消費行動を実践するとともに、コロナ禍で大きな影響を受けた産業の仲間に対する支援を意識していく。

---

[2] 連合の正式な用語としては「春季生活闘争」を用いるが、組織外への発信として短くなじみやすい表現として「春闘」を用いる

3．賃金水準闘争を強化していくための取り組み

　労働組合は自らの賃金実態を把握し、構成組織等が掲げる賃金水準をはじめとする社会的な賃金指標や生計費の指標と比較することで是正すべき格差を把握し、めざすべき目標を設定する。連合「地域ミニマム運動」等への参画を通じて、組合員の賃金実態を把握する。

　構成組織は、加盟組合による個人別賃金データの収集・分析・課題解決に向けた支援を強化する。同時に、地域における産業別賃金相場の形成を視野に入れて、「地域ミニマム運動」への積極的参画体制を整えるため、地方連合会と連携していく。

4．集団的労使関係の輪を広げる取り組み

　組織化は労使交渉の大前提であり、2022春季生活闘争がめざすところの実現に不可欠である。春季生活闘争の取り組みを通じ、労働組合の意義と集団的労使関係の重要さについて社会にアピールするとともに、仲間づくりにつなげていく。

　職場における労使協定の締結や過半数代表制の運用の適正化に向けた組織点検と組織強化・拡大を一体的に展開していく。

　曖昧な雇用で働く仲間を含め、すべての働く仲間をまもりつなげ、社会全体の底上げをはかる運動を推進する。

Ⅲ．2022春季生活闘争の取り組み内容

1．賃金要求
（1）賃上げについての考え方

　日本の経済・社会は、アジア経済危機、ＩＴバブル崩壊、リーマンショック等の経済変動のたびに不安定雇用の拡大と中間層の収縮、貧困層や格差の拡大を繰り返してきた。これを背景に、わが国の賃金水準は1997年をピークに停滞を続けている。

　2019年末からの景気後退にコロナ禍が重なり、日本経済は大きく落ち込んだが、内閣府の年央試算によれば、2021年度後半も回復が続き、2021年中にはコロナ前の水準を回復し、消費者物価もプラスに転じることが見込まれる。またコロナ禍でも労働市場における募集賃金は上昇を続け、地域別最低賃金は３％強引き上げられた。

　コロナ禍にあって、所定内賃金で生活できる水準を確保することの重要さが再認識された。また実質賃金の長期低下傾向を反転させるには、賃金水準を意識しながら、全体で継続的に賃上げに取り組むことを強化する必要がある。またマクロの視点からも、労働者への適正な分配を求めていく必要がある。国内外の下振れリスクがある中でも、傷んだ労働条件を回復させ「人への投資」を積極的に行うことこそ、経済の好循環を起動させ、経済を自律的な回復軌道にのせていくカギになる。

　超少子・高齢化により生産年齢人口の減少が不可避であるなか、将来にわたり人材を確保・定着させるためには、賃金水準を意識して「人への投資」を継続的に行うことが必要である。

　とりわけ、中小企業や有期・短時間・契約等で働く者の賃金を「働きの価値に見合った水準」[3]に引き上げることをめざし、「分配構造の転換につながり得る賃上げ」に取り組む重要性を認識しなければならない。

　したがって、2022闘争は、すべての組合が月例賃金の改善にこだわり、それぞれの賃金水準を確認しながら、「底上げ」「底支え」「格差是正」の取り組みをより強力に推し進める。

---

[3]　賃金の「働きの価値に見合った水準」とは、経験・技能・個人に備わった能力などに見合った賃金水準のこと。企業規模や雇用形態、男女間で違いが生じないことを共通の認識とする。

<「底上げ」「底支え」「格差是正」の取り組みの考え方>

	目的	要求の考え方
底上げ	産業相場や地域相場を引き上げていく	定昇相当分＋賃上げ分 （→地域別最低賃金に波及）
格差是正	企業規模間、雇用形態間、男女間の格差を是正する	・社会横断的な水準を額で示し、その水準への到達をめざす ・男女間については、職場実態を把握し、改善に努める
底支え	産業相場を下支えする	企業内最低賃金協定の締結、水準の引き上げ （→特定（産業別）最低賃金に波及）

<連合・構成組織・地方連合会の取り組み>

	連合	構成組織	地方連合会
底上げ	様々な指標を総合勘案し、「定昇相当分＋賃上げ分」で提示	連合方針を踏まえ、各構成組織にて要求案を検討	連合方針を踏まえ、各地方連合会で要求案を検討
格差是正	「企業規模間格差是正に向けた目標水準」および「雇用形態間格差是正に向けた目標水準」を設定	同上	①都道府県別リビングウェイジ（別紙1）をクリアする ②「地域ミニマム運動」都道府県別（別紙2）第1十分位をクリアする ③連合方針をめざす
底支え	企業内のすべての労働者を対象に企業内最低賃金協定を締結する際のめざす水準を設定	同上	同上

（2）具体的な要求目標

　これまでの「底上げ」「底支え」「格差是正」の取り組みの考え方にもとづき、直近の調査結果等をみながら、賃金要求指標をパッケージで示す。

<賃金要求指標パッケージ>

		底上げ	
底上げ		産業の「底支え」「格差是正」に寄与する「賃金水準追求」の取り組みを強化しつつ、これまで以上に賃上げを社会全体に波及させるため、それぞれの産業における最大限の「底上げ」に取り組む。賃上げ分2％程度、定期昇給相当分（賃金カーブ維持相当分）を含め4％程度の賃上げを目安とする。	
格差是正		規模間格差是正	雇用形態間格差
	目標水準	35歳：289,000円 30歳：259,000円[4]	・昇給ルールを導入する。 ・昇給ルールを導入する場合は、勤続年数で賃金カーブを描くこととする。 ・水準については、「勤続17年相当で時給1,750円・月給288,500円以上」[5]となる制度設計をめざす
	最低到達水準	35歳：266,250円 30歳：243,750円[6] 企業内最低賃金協定　1,150円以上	企業内最低賃金協定1,150円
底支え		・企業内のすべての労働者を対象に協定を締結する。 ・締結水準は、生活を賄う観点と初職に就く際の観点を重視し、「時給1,150円以上」[7]をめざす。	

---

[4] 賃金水準検討プロジェクト・チーム（賃金PT）答申（2019年8月7日）を踏まえ、2020年賃金センサス産業計・男女計・学歴計・企業規模計・勤続年数計の、35歳は30〜34歳274,400円および35〜39歳305,200円から、30歳は25〜29歳244,600円および30〜34歳274,400円から算出

[5] 2020年賃金センサスの「賃金センサスのフルタイム労働者の平均的な所定内賃金」292,178円（時間額1,771円・2020年賃金センサス所定内実労働時間数全国平均165時間）から時給1,750円を設定し、月額に換算して算出

[6] 1年・1歳間差を4,500円、35歳を勤続17年相当、30歳を勤続12年相当とし、時給1,150円から積み上げて算出

[7] 2021連合リビングウェイジ中間報告（単身成人1,110円）および2020年賃金センサス一般労働者新規学卒者の所定内給与額高校（産業計・男女計・企業規模計）177,700円（時間額1,077円）を総合勘案して算出

1) 中小組合の取り組み（企業規模間格差是正）

①「Ⅱ．2022春季生活闘争取り組みに向けた基盤整備」を前提に、賃上げに取り組む。
②賃金カーブ維持分は、労働力の価値の保障により勤労意欲を維持する役割を果たすと同時に、生活水準保障でもあり必ずこれを確保する。賃金カーブ維持には定期昇給制度が重要な役割を果たす。定期昇給制度がない組合は、人事・賃金制度の確立を視野に入れ、労使での検討委員会などを設置して協議を進めつつ、定期昇給制度の確立に取り組む。構成組織と地方連合会は連携してこれらの支援を行う。
③すべての中小組合は、上記にもとづき、賃金カーブ維持相当分（1年・1歳間差）を確保した上で、自組合の賃金と社会横断的水準を確保するための指標（上記および別紙3「連合の賃金実態」参照）を比較し、その水準の到達に必要な額を加えた総額で賃金引き上げを求める。また、獲得した賃金改善原資の各賃金項目への配分等にも積極的に関与する。
④賃金実態が把握できないなどの事情がある場合は、連合加盟中小組合の平均賃金水準（約25万円）と賃金カーブ維持分（1年・1歳間差）をベースとして組み立て、連合加盟組合平均賃金水準（約30万円）との格差を解消するために必要な額を加えて、引き上げ要求を設定する。すなわち、賃金カーブ維持分（4,500円）の確保を大前提に、連合加盟組合平均水準の2％相当額との差額を上乗せした金額6,000円を賃上げ目標とし、総額10,500円以上を目安に賃上げを求める[8]。

2) 雇用形態間格差是正の取り組み

①有期・短時間・契約等で働く者の労働諸条件の向上と均等待遇・均衡待遇確保の観点から、企業内のすべての労働者を対象とした企業内最低賃金協定の締結をめざす。締結水準については、時給1,150円以上をめざす。
②有期・短時間・契約等で働く者の賃金を「働きの価値に見合った水準」に引き上げていくため、昇給ルールの導入に取り組む。なお、昇給ルールを導入する場合は、勤続年数で賃金カーブを描くこととし、水準については、「勤続17年相当で時給1,750円・月給288,500円以上」となる制度設計をめざす。

（3）男女間賃金格差および生活関連手当支給基準の是正

　　男女間における賃金格差は、勤続年数や管理職比率の差異が主要因であり、固定的性別役割分担意識等による仕事の配置や配分、教育・人材育成における男女の偏りなど人事・賃金制度および運用の結果がそのような問題をもたらしている。
　　改正女性活躍推進法にもとづく指針に「男女の賃金の差異」の把握の重要性が明記されたことを踏まえ、男女別の賃金実態の把握と分析を行うとともに、問題点の改善と格差是正に向けた取り組みを進める。

1) 賃金データにもとづいて男女別・年齢ごとの賃金分布を把握し、「見える化」（賃金プロット手法等）をはかるとともに、賃金格差につながる要因を明らかにし、問題点を改善する。
2) 生活関連手当（福利厚生、家族手当等）の支給における住民票上の「世帯主」要件は実質的な間接差別にあたり、また、女性のみに住民票などの証明書類の提出を求めることは男女雇用機会均等法で禁止されているため廃止を求める。

---

[8]　別紙3「連合の賃金実態」参照

（4）初任給等の取り組み

> 1）すべての賃金の基礎である初任給について社会水準[9]を確保する。
> 2）中途入社者の賃金を底支えする観点から、年齢別最低到達水準についても協定締結をめざす。

（5）一時金

> 1）月例賃金の引き上げにこだわりつつ、年収確保の観点も含め水準の向上・確保をはかることとする。
> 2）有期・短時間・契約等で働く労働者についても、均等待遇・均衡待遇の観点から対応をはかることとする。

2．「すべての労働者の立場にたった働き方」の改善

日本は構造的に生産年齢人口が減少の一途をたどっており、コロナ禍から経済が再生していく過程において「人材の確保・定着」と「人材育成」に向けた職場の基盤整備が重要であることに変わりはない。

したがって、健康で働き続けられる労働時間と過労死ゼロの実現、「社会生活の時間」の充実を含めたワーク・ライフ・バランス社会の実現、個々人の状況やニーズにあった働き方と処遇のあり方など職場の基盤整備に向けて総体的な検討と協議を行う。

また、企業規模によって、法令の施行時期や適用猶予期間の有無、適用除外となるか否かが異なる[10]が、働き方も含めた取引の適正化の観点も踏まえ、取り組みの濃淡や負担感の偏在が生じないよう、すべての構成組織・組合が同時に取り組むこととする。

（1）長時間労働の是正
1）豊かな生活時間とあるべき労働時間の確保

すべての働く者が「生きがい」「働きがい」を通じて豊かに働くことのできる社会をめざし、豊かで社会的責任を果たしうる生活時間の確保と、「年間総実労働時間1800時間」の実現に向けた労働時間短縮の取り組みによる安全で健康に働くことができる職場の中で持てる能力を最大限に発揮できる労働時間の実現とを同時に追求していく。

2）改正労働基準法に関する取り組み[11]

時間外労働の上限規制を含む改正労働基準法等の職場への定着を促進する観点から、以下に取り組む。

取り組みにあたっては、過半数代表者および過半数労働組合に関する要件・選出手続等の適正な運用に取り組む。

> ①３６協定の締結・点検・見直し（限度時間を原則とした締結、休日労働の抑制）および締結に際しての業務量の棚卸しや人員体制の見直し
> ②すべての労働者を対象とした労働時間の客観的な把握と適正な管理の徹底
> ③年次有給休暇の100％取得に向けた計画的付与の導入等の労使協議の実施および事業場外みなしや裁量労働制の適正な運用に向けた取り組み(労使協定・労使委員会、健康・福祉確保措置の実施状況、労働時間の状況の点検)の徹底

---

[9] 別紙3「連合の賃金実態」参照
[10] 別紙4「人数規模により対応が異なる労働関係法令」参照
[11] 改正労基法等（時間外労働の上限規制、年次有給休暇等）のポイントと労働組合の取り組み（2018年9月21日第14回中央執行委員会確認）参照

（2）すべての労働者の雇用安定に向けた取り組み

　雇用の原則は「期間の定めのない直接雇用」であることを踏まえ、すべての労働者の雇用の安定に向けて取り組む。

　また、新型コロナウイルス感染症の拡大防止対策等の影響が依然として継続している産業・企業については、政府・地方自治体等の助成金・補助金などを最大限活用し、雇用の維持・確保を優先して労使で協議を行う。

　特に、産業や地域を問わず、有期・短時間・派遣労働者に加え、障がい者、新卒内定者、外国人労働者などの雇用維持について、同様に労使で協議する。

> 1）有期雇用労働者の雇用の安定に向け、労働契約法18条の無期転換ルールの周知徹底や、無期転換回避目的や、新型コロナウイルス感染症の影響等を理由とした安易な雇止めなどが生じていないかの確認、通算期間5年経過前の無期転換の促進などを進める。
> 2）派遣労働者について、職場への受入れに関するルール（手続き、受入れ人数、受入れ期間、期間制限到来時の対応など）の協約化・ルール化をはかるとともに、直接雇用を積極的に受入れるよう事業主に働きかけを行う。

（3）職場における均等・均衡待遇実現に向けた取り組み[12]

　同一労働同一賃金に関する法規定の職場への周知徹底をはかるとともに、職場の有期・短時間・派遣労働者の労働組合への加入の有無を問わず、以下に取り組む。無期転換労働者についても、法の趣旨にもとづき同様の取り組みを進める。

1）有期・短時間労働者に関する取り組み

> ①正規雇用労働者と有期・短時間で働く者の労働条件・待遇差の確認
> ②（待遇差がある場合）賃金・一時金や各種手当等、個々の労働条件・待遇ごとに、その目的・性質に照らして正規雇用労働者との待遇差が不合理となっていないかを確認
> ③（不合理な差がある場合）待遇差の是正
> ④有期・短時間労働者の組合加入とその声を踏まえた労使協議の実施
> ⑤有期・短時間労働者への待遇に関する説明の徹底

2）派遣労働者に関する取り組み

> ①派遣先労働組合の取り組み
> 　a）正規雇用労働者と派遣労働者の労働条件・待遇差を確認する
> 　b）派遣先均等・均衡待遇が可能な水準での派遣料金設定や派遣元への待遇情報の提供など、事業主に対する必要な対応を求めるc）食堂・休憩室・更衣室など福利厚生施設などについて派遣労働者に不利な利用条件などが設定されている場合は、是正を求める
> ②派遣元労働組合の取り組み
> 　a）待遇情報の共有や待遇決定方式に関する協議を行う
> 　b）待遇決定方式にかかわらず比較対象労働者との間に不合理な格差等がある場合には、是正を求める
> 　c）有期・短時間である派遣労働者については、上記1）の取り組みについて確認（比較対象は派遣元の正規雇用労働者）
> 　d）派遣労働者の組合加入およびその声を踏まえた労使協議の実施
> 　e）派遣労働者への待遇に関する説明の徹底

---

[12] 同一労働同一賃金の法整備を踏まえた労働組合の取り組み（【パート・有期編】2018年12月20日第17回中央執行委員会確認、【労働者派遣編】2019年4月18日第21回中央執行委員会確認）参照

（4）60歳以降の高齢期における雇用と処遇に関する取り組み[13]

　働くことを希望する高齢期の労働者が、年齢にかかわりなく安定的に働ける社会の構築に向けて環境を整備していく必要がある。とりわけ、加齢に伴う健康問題や安全衛生に加え、介護など社会的問題への配慮を行いつつ、高齢期の労働者がやりがいをもって働けることが求められている。したがって、以下の取り組みを進めていく。

1）基本的な考え方

> ①60歳〜65歳までの雇用確保のあり方
> ・65歳までの雇用確保は、希望者全員が安定雇用で働き続けることができ、雇用と年金の接続を確実に行う観点から、定年引上げを基軸に取り組む。
> ・なお、継続雇用制度の場合であっても、実質的に定年引上げと同様の効果が得られるよう、65歳までの雇用が確実に継続する制度となるよう取り組む。あわせて、将来的な65歳への定年年齢の引上げに向けた検討を行う。
> ②65歳以降の雇用（就労）確保のあり方
> ・65歳以降の就労希望者に対する雇用・就労機会の提供については、原則として、希望者全員が「雇用されて就労」できるように取り組む。
> ・高齢期においては、労働者の体力・健康状態その他の本人を取り巻く環境がより多様となるため、個々の労働者の意思が反映されるよう、働き方の選択肢を整備する。
> ③高齢期における処遇のあり方
> ・年齢にかかわりなく高いモチベーションをもって働くことができるよう、働きの価値にふさわしい処遇の確立とともに、労働者の安全と健康の確保をはかる。

2）改正高年齢者雇用安定法の取り組み（70歳まで雇用の努力義務）[14]

> ①同一労働同一賃金の法規定対応の確実な実施（通常の労働者と定年後継続雇用労働者をはじめとする60歳以降の短時間（パート）・有期雇用で働く労働者との間の不合理な待遇差の是正）
> ②働く高齢者のニーズへの対応のため、労働時間をはじめとする勤務条件の緩和や健康管理の充実などの推進
> ③高齢化に伴い増加がみられる転倒や腰痛災害等に対する配慮と職場環境改善
> ④労働災害防止の観点から、高齢者に限定せず広く労働者の身体機能等の向上に向けた「健康づくり」の推進

（5）テレワーク導入にあたっての労働組合の取り組み[15]

　テレワークの導入あるいは制度改定にあたっては、次の考え方をもとに取り組みを行う。

　なお、テレワークに適さない業種や職種に従事する労働者については、感染リスクを回避した環境整備、労働時間管理、健康確保措置など、啓発や適切な措置を講じるものとする。

> 1）テレワークは、重要な労働条件である「勤務場所の変更」にあたるため、「テレワーク導入に向けた労働組合の取り組み方針」の「具体的な取り組みのポイント」を参考に実施の目的、対象者、実施の手続き、労働諸条件の変更事項などについて労使協議を行い、労使協定を締結した上で就業規則に規定する。その際、情報セキュリティ対策や費用負担のルールなどに

ついても規定する。なお、テレワークの導入・実施にあたっては、法律上禁止された差別等にあたる取り扱いをしてはならないことにも留意する。

2）テレワークに対しても労働基準関係法令が適用されるため、長時間労働の未然防止策と作業環境管理や健康管理を適切に行うための方策をあらかじめ労使で検討する。

3）テレワークを推進し、通勤時の公共交通機関の混雑等を緩和することは、テレワークが難しい業種・業態で働く方々の感染リスク低減につながることについても留意する。

4）テレワークの運用にあたっては、定期的な社内モニタリング調査や国のガイドラインの見直しなども踏まえ、適宜・適切に労使協議で必要な改善を行う。

（6）人材育成と教育訓練の充実

　教育訓練は、労働者の技術等の向上はもちろん、企業の発展にもつながる大切な取り組みであり、労使が話し合いの上で推進すべきものである。特に、短時間・有期等の雇用形態で働く労働者の雇用安定に向けては、能力開発など人材育成の充実が欠かせない。付加価値創造の源泉である「働くことの価値」を高めていくためにも、職場での働き方など、様々な状況を踏まえながら、人材育成方針の明確化や教育訓練機会の確保に向けた環境整備など、広く「人への投資」につながる取り組みを求めていく。

（7）中小企業、有期・短時間・派遣等で働く労働者の退職給付制度の整備

1）企業年金のない事業所においては、企業年金制度の整備を事業主に求める。その際、企業年金制度は退職給付制度であり、賃金の後払いとしての性格を有することから、確実に給付が受けられる制度を基本とする。

2）「同一労働同一賃金ガイドライン」の趣旨を踏まえ、有期・短時間・派遣等で働く労働者に企業年金が支給されるよう、退職金規程の整備をはかる。

（8）障がい者雇用に関する取り組み[16]

　障害者雇用率制度のあり方や、障害者雇用における環境整備などを含む「障害者雇用の促進に向けた連合の考え方について」[17]にもとづき、以下に取り組む。

1）障害者雇用促進法にもとづく法定雇用率が、2021年3月から2.3％（国・地方自治体2.6％、教育委員会2.5％）に引き上げられたことを踏まえ、障がい者が安心して働くことができるように、障害者雇用率の達成とともに、職場における障がい者の個別性に配慮した雇用環境の整備に取り組む。

2）事業主の責務である「障がい者であることを理由とした不当な差別的取扱いの禁止」、「合理的配慮の提供義務」、「相談体制の整備・苦情処理および紛争解決の援助」について、労働協約・就業規則のチェックや見直しに取り組む。

（9）短時間労働者に対する被用者保険の適用拡大に関する取り組み

1）社会保険が適用されるべき労働者が全員適用されているか点検・確認する。

2）事業者が適用拡大を回避するために短時間労働者の労働条件の不利益変更を行わないよう取り組む。また社会保険の適用を一層促進するよう労働条件の改善を要求する。

---

[16]　「改正障害者雇用促進法」に関する連合の取り組みについて（2015年8月27日第23回中央執行委員会確認）参照
[17]　障害者雇用の促進に向けた連合の考え方について（2021年6月17日第21回中央執行委員会確認）

（10）治療と仕事の両立の推進に関する取り組み[18]

　疾病などを抱える労働者は、治療などのための柔軟な勤務制度の整備や通院目的の休暇に加え、疾病の重症化予防の取り組みなどを必要としているため、以下に取り組む。

> 　１）長期にわたる治療が必要な疾病などを抱える労働者からの申出があった場合に円滑な対応ができるよう、休暇・休業制度などについて、労働協約・就業規則など諸規程の整備を進める。
> 　２）疾病などを抱える労働者のプライバシーに配慮しつつ、当該事業場の上司や同僚に対し、治療と仕事の両立支援についての理解を促進するための周知等を徹底する。

３．ジェンダー平等・多様性の推進

　多様性が尊重される社会の実現に向けて、性別をはじめ年齢、国籍、障がいの有無、就労形態など、様々な違いを持った人々がお互いを認め合い、やりがいをもって、ともに働き続けられる職場を実現するため、格差を是正するとともに、あらゆるハラスメント対策や差別禁止に取り組む。また、ジェンダー・バイアス（無意識を含む性差別的な偏見）や固定的性別役割分担意識を払拭し、仕事と生活の調和をはかるため、すべての労働者が両立支援制度を利用できる環境整備に向けて、連合のガイドライン[19]や考え方・方針[20]を活用するなどして取り組みを進める。

（1）改正女性活躍推進法および男女雇用機会均等法の周知徹底と点検活動

　改正女性活躍推進法および男女雇用機会均等法について、連合のガイドラインにもとづき、周知徹底とあわせて、法違反がないかなどの点検活動を行う。また、労使交渉・協議では、可能な限り実証的なデータにもとづく根拠を示し、以下の項目について改善を求める。

> 　１）女性の昇進・昇格の遅れ、仕事の配置や配分が男女で異なることなど、男女間格差の実態について点検を行い、積極的な差別是正措置（ポジティブ・アクション）により改善をはかる。
> 　２）合理的な理由のない転居を伴う転勤がないか点検し、是正をはかる。
> 　３）妊娠・出産などを理由とする不利益取り扱いの有無について検証し、是正をはかる。
> 　４）改正女性活躍推進法にもとづく事業主行動計画策定に労使で取り組む。その際、職場の状況を十分に把握・分析した上で、必要な目標や取り組み内容を設定する。
> 　５）事業主行動計画が着実に進展しているか、労働組合としてPlan(計画)・Do（実行）・Check（評価）・Action（改善）に積極的に関与する。
> 　６）2022年４月１日から、事業主行動計画策定や情報公表義務が101人以上の事業主まで拡大されることを踏まえ、企業規模にかかわらず、すべての職場で「事業主行動計画」が策定されるよう事業主に働きかけを行う。
> 　７）事業主行動計画の内容の周知徹底はもとより、改正女性活躍推進法や関連する法律に関する学習会等を開催する。

---

[18] 治療と職業生活の両立支援に向けた取り組み指針（2016年11月10日第14回中央執行委員会確認）参照
[19] 女性活躍推進法に基づく「事業主行動計画」策定等についての取り組みガイドライン（@RENGO／2015年12月25日）、改正女性活躍推進法にもとづく「事業主行動計画」策定についての取り組みガイドライン（@RENGO／2019年12月26日）、性的指向及び性自認に関する差別禁止に向けた取り組みガイドライン（2016年３月３日第６回中央執行委員会 @RENGO／2017年11月17日）
[20] 女性活躍推進法ならびに男女雇用機会均等法改正に対する連合の考え方（2018年９月21日第14回中央執行委員会）、改正女性活躍推進法に関する連合の取り組みについて（2019年12月19日第3回中央執行委員会）、「仕事の世界における暴力とハラスメント」対策に関する連合の考え方（2018年９月21日第14回中央執行委員会）、女性の職業生活における活躍の推進に関する法律等の一部を改正する法律にもとづく省令・指針の策定に向けた連合の考え方と対応（2019年９月26日第27回中央執行委員会）、改正育児・介護休業法等に関する連合の取り組みについて（2016年８月25日第11回中央執行委員会）

（2）あらゆるハラスメント対策と差別禁止の取り組み

　　職場のハラスメントの現状を把握するとともに、カスタマー・ハラスメントや就活生などに対するハラスメントを含むあらゆるハラスメント対策や差別禁止の取り組みを進める。

> 1）ハラスメント対策関連法（改正労働施策総合推進法等）で定めるパワー・ハラスメントの措置義務が2022年4月1日より中小企業も対象となることから、連合のガイドライン[21]にもとづき、労働組合としてのチェック機能を強化するとともに、職場実態を把握した上で、事業主が雇用管理上講ずべき措置（防止措置）や配慮（望ましい取り組み）について労使協議を行う。
> 2）同性間セクシュアル・ハラスメント、ジェンダー・ハラスメントも含めたセクシュアル・ハラスメントの防止措置の実効性が担保されているか検証する。
> 3）マタニティ・ハラスメントやパタニティ・ハラスメント、ケア（育児・介護）・ハラスメントの防止措置の実効性が担保されているか検証する。
> 4）パワー・ハラスメントを含めて、あらゆるハラスメントを一元的に防止する取り組みを事業主に働きかける。
> 5）性的指向・性自認に関するハラスメントや差別の禁止、望まぬ暴露であるいわゆるアウティングの防止やプライバシー保護に取り組むとともに、連合のガイドラインを活用して就業環境の改善等を進める。
> 6）ドメスティック・バイオレンスをはじめとする性暴力による被害者を対象とした、相談支援機関との連携強化を含めた職場の相談体制の整備や休暇制度の創設等、職場における支援のための環境整備を進める。

（3）育児や介護と仕事の両立に向けた環境整備

　　連合の方針等にもとづき、以下の課題に取り組む。

> 1）2022年4月1日施行の改正育児・介護休業法で定める事業主が雇用管理上講ずべき措置（雇用環境の整備、個別周知、意向確認）について、導入に向けた労使協議を行う。
> 2）育児や介護に関する制度を点検するとともに、両立支援策の拡充の観点から、法を上回る内容を労働協約に盛り込む。
> 3）有期契約労働者が制度を取得する場合の要件については、改正法に定められた「事業主に引き続き雇用された期間が1年以上である者」の撤廃はもちろん、法で残っている「子が1歳6カ月に達する日までに労働契約が満了することが明らかでないこと」についても撤廃をはかる。
> 4）育児休業、介護休業、子の看護休暇、介護休暇、短時間勤務、所定外労働の免除の申し出や取得により、解雇あるいは昇進・昇格の人事考課等において不利益取り扱いが行われないよう徹底する。
> 5）妊産婦保護制度や母性健康管理措置について周知されているか点検し、妊娠・出産および制度利用による不利益取り扱いの禁止を徹底する。
> 6）女性の就業継続率の向上や男女のワーク・ライフ・バランスの実現に向けて、2022年10月1日施行の出生時育児休業（産後パパ育休）の整備など男性の育児休業取得促進に取り組む。
> 7）両立支援制度や介護保険制度に関する情報提供など、仕事と介護の両立を支援するための相談窓口を設置するよう求める。

---

[21]　ハラスメント対策関連法を職場で活かし、あらゆるハラスメントを根絶するための連合の取り組みについて（ガイドライン含む）（2020年1月23日第4回中央執行委員会 @RENGO／2020年1月24日）

8) 不妊治療と仕事の両立のため、取得理由に不妊治療を含めた休暇等（多目的休暇または積立休暇等を含む）の整備に取り組み、2022年4月1日施行の「くるみん」等に新たに加わる認定制度の取得をめざす。

9) 事業所内保育施設（認可施設）の設置、継続に取り組み、新設が難しい場合は、認可保育所と同等の質が確保された企業主導型保育施設の設置を求める。

（4）次世代育成支援対策推進法にもとづく取り組みの推進

1) ワーク・ライフ・バランスの推進に向けた労働組合としての方針を明確にした上で、労使協議を通じて、計画期間、目標、実施方法・体制などを確認し、作成した行動計画の実現をはかることで「トライくるみん」（2022年4月1日施行）・「くるみん」・「プラチナくるみん」の取得をめざす。

2)「くるみん」・「プラチナくるみん」を取得した職場において、その後の取り組みが後退していないか労使で確認し、計画内容の実効性の維持・向上をはかる。

4．運動の両輪としての「政策・制度実現の取り組み」

「2021年度重点政策」の実現を春季生活闘争の労働諸条件改善の取り組みとともに運動の両輪として引き続き推し進める。「働くことを軸とする安心社会－まもる・つなぐ・創り出す－」の実現に向けた政策課題やコロナ禍への対応などについて、政府・政党・各議員への働きかけ、審議会対応、「連合アクション」などを通じた世論喚起など、連合本部・構成組織・地方連合会が一体となって幅広い運動を展開する。

1) 企業間における公正・適正な取引関係の確立に向けた取り組み
2) 税による所得再分配機能の強化に向けた取り組み
3) すべての人が安心して働き暮らせるよう、社会保障制度の充実・確保に向けた取り組み（年金、医療・介護、子ども・子育て支援など）
4) すべての労働者の雇用安定に向けた取り組み
5) あらゆるハラスメント対策と差別禁止の取り組み
6) 教育の機会均等実現に向けた教育の無償化・奨学金の拡充に向けた取り組み

Ⅳ． 闘争の進め方

1．基本的な考え方

（1）すべての働く仲間を対象とし、「底上げ」「底支え」「格差是正」の実現に重点を置いた闘争を展開するため共闘体制を構築する（別紙5－1「2022春季生活闘争　共闘体制」参照）。

（2）格差是正や社会的な賃金相場の形成に向けた情報の共有と社会的な発信に引き続き取り組む。

（3）すべての働く仲間に春季生活闘争のメカニズムや2022闘争の意義を発信するとともに、働く上で悩みを抱える多様な仲間の声を聞き、社会的な広がりを意識した取り組みを展開する。「2022連合アクション」や労働相談活動との連動、「連合プラットフォーム（愛称：笑顔と元気のプラットフォーム）」の活用などを工夫する。

（4）「政策・制度実現の取り組み」を運動の両輪と位置づけ、国民全体の雇用・生活条件の課題解決に向け、政策・制度実現の取り組みと連動させた運動を展開する。

（5）労働基本権にこだわる闘争の展開をはかる。

2．取り組み体制、日程など

（1）闘争体制と日程

1）中央闘争委員会および戦術委員会の設置

中央闘争委員会および戦術委員会を設置し、闘争の進め方を中心に協議を行う。

2）要求提出

原則として2月末までに要求を行う。

3）ヤマ場への対応

新年度の労働条件は年度内に確立させることを基本とする。そのために、3月のヤマ場を設定し、相場形成と波及をはかる。具体的には、共闘連絡会議全体代表者会議、戦術委員会などで協議する。

（2）共闘連絡会議の運営

5つの部門別共闘連絡会議（金属、化学・食品・製造等、流通・サービス・金融、インフラ・公益、交通・運輸）を設置し（別紙5－2「2022春季生活闘争　共闘連絡会議の構成と運営について」参照）、会合を適宜開催し、有期・短時間・契約等の雇用形態で働く労働者も含めた賃金引き上げ、働き方の見直し、中小組合への支援状況など相互に情報交換と連携をはかる。先行組合の集中回答日における回答引き出し組合数を一段と増やすよう努める。また、相場形成と波及力の強化をはかるべく、個別賃金水準の維持・向上をはかるため、運動指標として「代表銘柄・中堅銘柄」の拡充と開示を行うとともに、「中核組合の賃金カーブ維持分・賃金水準」の開示を行い、賃金水準の相場形成を重視した情報開示を進めていく。

3．中小組合支援の取り組み

（1）連合の取り組み

1）労働条件・中小労働委員会で闘争状況を共有するとともに、共闘推進集会などの開催を通じて中小組合の取り組みの実効性を高めていく。

2）働き方も含めた「取引の適正化」の実現に向けて、連合全体で「パートナーシップ構築宣言」の取り組みを推進するとともに、「取引問題ホットライン」による情報収集を継続し、優越的地位の濫用防止や適正な価格転嫁の実施などについて行政機関へ要請する。

3）中小組合の要求・交渉の支援ツールとして、組合の賃金制度整備や交渉力強化に資する「中小組合元気派宣言」などの資料を提供する。

（2）構成組織の取り組み

> 1）すべての構成組織は、加盟組合の労働者の賃金が「働きの価値に見合った水準」へ到達できるよう、各組合の主体的な運動を基軸に、責任ある指導・支援を行う。
> 2）加盟組合に対し、地方連合会が設置する「地場共闘」への積極的な参加と賃金相場の形成に向けた情報開示を促す。あわせて、「地域ミニマム運動」への積極的な参画と、その結果や賃金分析プログラムなどを活用するよう働きかける。
> 3）賃金制度が整備されていない加盟組合に対し、制度構築の支援を行う。

（3）地方連合会の取り組み

> 1）「地域ミニマム運動」を積極的に推進し、地域の賃金水準（別紙2「2021地域ミニマム運動」都道府県別・大括り産業別の賃金特性値）を組織内外・地域全体に開示することにより、地場の職種別賃金相場形成の運動を進めていく。
> 2）相場形成および波及をめざし、「地場共闘」の強化をはかりつつ効果的に情報を発信し、中小のみならず未組織の組合や有期・短時間・契約等で働く労働者の「底支え」「格差是正」へとつながる体制を強化する。

4．社会対話の推進

（1）連合は、経団連や経済同友会とのトップ懇談会をはじめ、各経済団体などとの意見交換を進め、労働側の考えを主張していく。

（2）地方連合会は、「笑顔と元気のプラットフォーム」の取り組みを通じて、「地域活性化フォーラム」を開催するとともに、地方経営者団体との懇談会、地方創生にかかる地方版総合戦略会議や「地域働き方改革会議」などに積極的に参画する。

（3）春季生活闘争を社会的運動として広げていくために、各種集会や記者会見・説明会を機動的に配置するとともに、共闘連絡会議代表者も参画し、共闘効果の最大化をはかる。なお、各種集会については、従来型（集合集会）に留まらず、デジタル空間の活用なども含め幅広く検討する。

5．闘争行動

　有期・短時間・派遣などで働く仲間に関わる「職場から始めよう運動」[22]の展開をはかるとともに、闘争開始宣言中央総決起集会（2022年2月3日）、春季生活闘争・政策制度要求実現中央集会（3月7日）、3.8国際女性デー中央集会（3月8日）、共闘推進集会（4月初旬）の開催や、ヤマ場における檄や談話の発出、「05(れんごう)の日」の取り組みを通じた連合・構成組織・地方連合会が一体となった行動・発信など、切れ目のない取り組みを展開する。

　また、常設の「なんでも労働相談ホットライン」の活動を強化し、「全国一斉集中労働相談ホットライン」を2022年2月24−25日に「ＳＴＯＰ雇用不安！みんなの力で職場を改善しませんか」をテーマに実施する。

---

[22]　連合「職場から始めよう運動」とは

連合の賃金実態

1．連合全体の月例賃金（「賃金・一時金・退職金調査」速報値より）

〈生産・事務技術労働者計（所定内賃金）〉 （単位：円）

		30歳		2020	35歳		2020
		2021		2020	2021		2020
主要組合	平 均	273,138	↑ 314	272,824	314,658	↓ -275	314,933
	中央値	273,436	↑ 802	272,634	314,700	↑ 1,275	313,425
登録組合	平 均	262,736	↑ 1,295	261,440	300,276	↑ 1,292	298,983
	中央値	260,950	↑ 1,038	259,912	300,000	↑ 1,840	298,160

2．中小組合（300人未満）の月例賃金

○地域ミニマム運動・賃金実態調査

	2022（2021年実態）	2021（2020年実態）
月例賃金		259,684 円
平均年齢	調査中	39.6 歳
平均勤続		14.1 年

○春季生活闘争 最終回答集計結果（要求ベース額）

	2021春季生活闘争		2020春季生活闘争
加重平均	250,568 円	↓ -230 円	250,798 円
（組合員数）	26.2 万人	↓ -8.5 万人	34.7 万人
単純平均	242,587 円	↓ -598 円	243,185 円
（組合数）	2,646 組合	↓ -713 組合	3,359 組合

3．年齢別最低保障賃金の参考値（地域ミニマム運動・賃金実態調査：300人未満・第1四分位）

	2022（2021年実態）	2021（2020年実態）
30歳	調査中	208,500 円
35歳		220,200 円

4．中小組合（300人未満）の1年・1歳間差額

2021（2020年実態）地域ミニマム運動・賃金実態調査：300人未満・全産業・男女計

○中位値の「1年・1歳間差額」の平均（18-45歳）	4,400 円
○1次回帰式による賃金の1歳当たり上昇額（20-40歳）	4,859 円

5．18歳高卒初任給の参考目標値

	2021		2020
※	175,600 円	↑ 200 円	175,400 円
事務・技術	171,430 円	↑ 115 円	171,315 円
生 産	172,887 円	↑ 312 円	172,575 円

※「賃金・一時金・退職金調査」速報値　主要組合高卒初任給の平均額に2％分上乗せ

6．連合リビングウェイジ（さいたま市・月額）

	2021（中間報告）		2017
単身	183,100 円	↑ 10,612 円	172,488 円
（自動車保有）	235,376 円	↑ 11,443 円	223,933 円

2022春季生活闘争方針の他の別紙資料は下記に掲載しておりますので、ご参照ください。
https://www.jtuc-rengo.or.jp/activity/roudou/shuntou/index2022.html

III

2022
春季生活闘争

現状と課題

1 新型コロナ・ショックからの景気回復

図1[世界経済成長率]

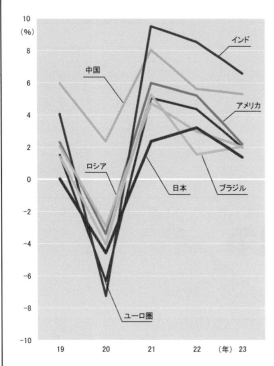

■出所：IMF「世界経済見通し」（2021年10月）

図2[日本経済の見通し]

	実績	2021年度予測			2022年度予測	
	2020年度実績	日本銀行2021年10月	民間36機関平均2021年12月	政府経済見通し2021年1月	日本銀行2021年10月	民間36機関平均2021年12月
実質GDP成長率	-4.5	3.4	2.72	4.0	2.9	3.03
民間消費	-5.5	***	2.61	3.9	***	3.43
民間企業設備	-7.5	***	2.47	2.9	***	4.15
政府支出	2.5	***	2.19	3.3	***	1.21
消費者物価（総合）	-0.2	***	***	0.4	***	***
コア（生鮮食品を除く総合）	-0.4	0.0	-0.03	***	0.9	0.73
完全失業率	2.9	***	2.80	2.7	***	2.61

■出所：内閣府「四半期別GDP速報」（2021年7-9月期2次速報）（2021年12月）、総務省「消費者物価指数」2015年度基準（2021.4.23）、日本銀行：「経済・物価情勢の展望」（展望レポート）における「2021〜2023年度の政策委員の大勢見通し」（2021.10）、民間36機関平均：日本経済研究センター「ESPフォーキャスト調査」におけるフォーキャスター36機関の総平均（2021年12月）、内閣府「経済見通しと経済財政運営の基本的態度」（2021年1月）

　世界経済は、新型コロナの影響により2020年はマイナス成長となったが、ワクチン接種を含む公衆衛生対策と大規模な財政出動による底支えなどにより、2021年にはプラス成長に転じた（図1）。ただし、回復のスピードは国によって違いがある。2020年後半以降安定して回復している中国や米国に続き、ＥＵも2021年4-6月には2％台の成長率を記録した。一方、新興市場国・発展途上国では、いわゆるワクチン格差の課題もあり、感染拡大が収まらず、経済活動に大きな影響を与えている。

　海外経済の回復による輸出増などにより、日本経済も回復しているが、そのスピードはＥＵよりもさらに緩やかである。その大きな要因の一つが個人消費の弱さである。日本の個人消費は2021年に入ってからも一進一退で推移し、7-9月は東京オリンピック・パラリンピックというプラス要因がありながら前期比マイナス1.1％となった。全国で緊急事態宣言が解除された10月の総務省「家計調査」を見ても、前年同期比でマイナスとなっている。感染防止のために社会経済活動が制限されているのは欧米諸国も同様であり、ワクチン接種率や感染者数の状況はむしろ日本の方が良いといえる。それにもかかわらず個人消費が低迷しているのは、将来不安に加え、収入が増えないからである。日本全体の実質賃金を継続的に上昇させていかなければ、日本経済を自律的な景気回復軌道に乗せることはできない。

　消費者物価は、直近のゼロ近傍からプラスに転じつつある。民間シンクタンク36機関の予測は、2022年度は0.73％を見込んでいる（図2）。2022春季生活闘争においては、景気回復局面、および物価上昇に転じる局面にあることなども念頭に、賃上げに取り組む必要がある。

2 持続可能な開発目標SDGsの達成に向けて

図1[持続可能な開発目標（SDGs）]

SUSTAINABLE DEVELOPMENT **GⓄALS**

■出所：国連広報センター

図3[ITUCが定める重点ゴール]

目標1　あらゆる場所あらゆる形態の貧困を終わらせる
目標5　ジェンダー平等を達成し、すべての女性及び女児のエンパワーメントを行う
目標8　包摂的かつ持続可能な経済成長及びすべての人々の完全かつ生産的な雇用と働きがいのある人間らしい雇用（ディーセント・ワーク）を促進する
目標10　国内及び各国家間の不平等を是正する
目標13　気候変動及びその影響を軽減するための緊急対策を講じる
目標16　持続可能な開発のための平和で包摂的な社会を促進し、すべての人々に司法へのアクセスを提供し、あらゆるレベルにおいて効果的で説明責任のある包摂的な制度を構築する

■出所：外務省「持続可能な開発目標（ＳＤＧｓ）と日本の取組」による訳

図2[連合の運動方針とSDGs]

重点分野

1 すべての働く仲間をまもり、つなぐための集団的労使関係の追求と、社会に広がりのある運動の推進
1 多様な労務者を含めた集団的労使関係の構築・強化
2 働く仲間をつなぎ支える取り組みの推進と新たな課題への対応
3 「連合組織拡大プラン2030」の実現に向けた拡大目標の必達と基盤強化
4 連合プラットフォーム（笑顔の交流のプラットフォーム）を活用した中小企業・地域の活性化に向けた取り組み
5 新たな社会運動の模索による世論形成・政策実現と、すべての働く仲間とともに「必ずそばにいる存在」となる運動の構築

2 安心社会とディーセント・ワークをまもり、創り出す運動の推進
1 2035年を見据えた社会保障・教育と税制の一体改革に向けた取り組み
2 持続可能で包摂的な社会を実現するための経済・社会・環境課題の統合的解決に向けた取り組みの推進
3 すべての働く仲間のディーセント・ワーク実現に向けた雇用・労働政策の推進
4 賃金・労働諸条件の向上と地域社会を支える中小企業の基盤強化

3 ジェンダー平等をはじめとして、一人ひとりが尊重された「真の多様性」が根付く職場・社会の実現
1 性別・年齢・国籍・障がいの有無・就労形態などにかかわらず、やりがいを持って働くことのできる職場・社会の実現
2 男女平等参画、ジェンダー平等の推進、均等待遇、仕事と生活の調和（ワーク・ライフ・バランス）に向けた取り組み
3 「フェアワーク」推進の取り組み
4 連合労働相談対応の強化に向けた取り組み

関連するSDGs ▷

推進分野

1 社会連帯を通じた平和、人権、社会貢献への取り組みと次世代への継承
1 支え合い助け合い運動の推進
2 平和運動の推進
3 多様化する人権に関わる課題への対応
4 自然災害への取り組み強化と事業継続計画（BCP）の策定

2 健全な議会制民主主義と政策実現に向けた政治活動の推進
1 政治活動の基本
2 政治活動の推進
3 健全な議会制民主主義の実現に向けた政治改革への取り組み
4 地方政治の活性化

3 ディーセント・ワークの実現に向けた国際労働運動の推進
1 人権・労働組合権民主主義の擁護・確立
2 国際組織との連携強化
3 労使紛争の未然防止および解決促進に向けた取り組み

4 連合と関係する組織との相乗効果を発揮し得る人財の確保・育成と労働教育の推進
1 連合運動を支える人財の確保と育成
2 連合と関係する組織と連携した人財・知見の活用
3 組織内外における幅広い労働教育の推進
4 アーカイブス収集の充実
5 国際人財の育成のための取り組み

関連するSDGs ▷

■出所：連合作成

2015年９月、国連総会で採択された「持続可能な開発目標（ＳＤＧｓ）」は、「誰一人取り残さない」を理念とし、2030年までに達成すべき17の開発目標（ゴール）で構成されている。政府、民間企業や労働組合を含む市民社会組織等の参画により、世界規模で目標達成に向けた取り組みが行われている（図１）。

連合が進める運動は、ＳＤＧｓそのものであると表現しても過言ではない。めざすべき社会像として掲げている「連合ビジョン」や運動方針の内容、またその実現をめざす毎年の春季生活闘争や政策・制度実現に向け掲げる重点政策も、ＳＤＧｓの17のゴールと結びついた活動であるからだ（図２）。

例えば、「税による所得再配分機能の強化」▷P63はゴール１（貧困をなくそう）とリンクしており、経済・社会課題の解決をめざすものである。また、「高齢期におけるディーセント・ワ

ークの実現」▷P76はゴール８（働きがいも経済成長も）と結びついているなど、連合は雇用や生活を守るために労働環境の改善・ワークルールの制定などに取り組み、すべての働く人が安心・安全に誇りを持って働ける環境を創る努力をしている。あわせて、社会を構成する一員として、地域社会活性化の取り組みも進めている。

さらに、国際労働組合総連合（ＩＴＵＣ）が重点に定めている６つのゴールを踏まえ、開発途上国の集団的／建設的労使関係の構築を支援する事業や児童労働の撲滅をめざした事業など、国際労働運動の中でも取り組みを進めている（図３）。

連合は、ＩＴＵＣの主要構成組織として、政府、ＩＬＯなどの国際機関、ＮＧＯなどと連携し、コロナ禍における課題の解決をはじめ、ＳＤＧｓの達成に向けて取り組みを進めていく。

3 求められる「ビジネスと人権」への対応

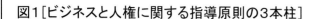

図1[ビジネスと人権に関する指導原則の3本柱]　　図2[デュー・ディリジェンスのプロセス]

■出所：外務省「ビジネスと人権に関する指導原則パンフレット」より連合作成

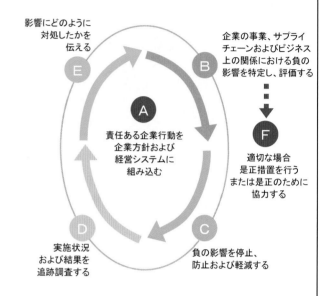

■出所：OECD「責任ある企業行動のための OECD デュー・ディリジェンス・ガイダンス」より連合作成

　「ビジネスと人権」への関心が国内外で高まっている。強制労働や児童労働などの人権侵害が生産・製造過程で行われた、あるいはその疑いが強いとされた原材料・製品の輸出入に制限をかける動きが出てきている。欧米諸国では、企業に対し、人権侵害を予防するために取った措置の情報開示などを義務づける法規制の導入の動きが広がりつつある。

　日本では、2011年採択の国連「ビジネスと人権に関する指導原則」にもとづき、2020年10月、「『ビジネスと人権』に関する行動計画（2020-2025）」が策定された。「指導原則」は、（1）人権を保護する国家の義務、（2）人権を尊重する企業の責任、（3）救済へのアクセスの3つの柱から構成され、「行動計画」では、この柱にもとづき、5年間で取り組むべき事項が整理された。しかし、とりわけ第2の柱である企業の責任は、人権デュー・ディリジェンス（人権DD）のプ

ロセスの導入、およびサプライチェーンにおけるステークホルダーとの対話などの実施への「期待」が表明されるにとどまっている。人権尊重の経営に対する社会的要請の高まりや、欧米の法規制への対応の必要などを踏まえれば、より踏み込んだ対応が求められる状況にある。

　人権DDとは、企業が人権への影響を特定し、予防し、軽減し、そしてどのように対処するのかについて説明するために、①人権への悪影響の評価、②調査結果への対処、③対応の追跡調査、④対処方法に関する情報発信の実施を求められる一連の流れをいう。「責任ある企業行動のためのOECDデュー・ディリジェンス・ガイダンス」は企業が実施すべき具体的行動について解説しており、DDのプロセスのすべてにステークホルダーの関与が言及されている。労働組合も具体的取り組みを検討していく必要がある。

4 被災地の声を支援の仕組みにつなげよう

図［被災者生活再建支援法　制定・改正の主な道のり］

1995年　阪神・淡路大震災が発生（住宅全壊約10万5,000棟、住宅半壊約14万4,000棟）

1996年　「自然災害に対する国民的保障制度を求める国民会議」設立
　　　　代表世話人：山岸章・全労済協会理事長（初代連合会長）
　　　　　　　　　芦田甚之助・第2代連合会長他

1997年　「自然災害に対する国民的保障制度を求める国民会議」署名提出
　　　　（個人2,482万8,964人、団体43,337人分）

1998年　「被災者生活再建支援法」成立（議員立法）
　　　　・被災者生活再建支援金：最高100万円（対象は家財道具等）
　　　　　ただし、住宅再建に対する支援については今後の検討課題との位置づけ

2004年　「被災者生活再建支援法」改正
　　　　・居住安定支援制度：最高200万円（対象は被災住宅の解体・撤去等）

2007年　「被災者生活再建支援法」改正（議員立法）
　　　　・使途制限を撤廃（＝住宅再建も対象）収入・年齢要件も撤廃
　　　　　住宅の被害程度と再建方法に応じた最高300万円の定額渡し切り方式

2020年　「被災者生活再建支援法」改正
　　　　・中規模半壊（損害割合30％）も支援対象に追加

■出所：連合作成

東日本大震災から10年が経過したが、今なお約4万人の被災者が避難生活を送っている（2021年10月現在）。自然災害後の住宅再建の可否は、被災者の生活再建を左右する大きな要素であるが、収入や資産の不足により、事前の保険加入や住宅の耐震化、事後の住宅再建を行えない人々が多数存在する。加えて、住宅の再建が進まないことは、結果として被災地の復旧・復興にも大きな影響を及ぼす。

阪神・淡路大震災で、住宅再建を自助・共助に任せることの限界が明らかとなった。これを契機に連合は全労済など関係団体と連携し「自然災害に対する国民的保障制度を求める国民会議」設立に参画し、「住まいの復興なくして地域の復興なし」との考えから、公助としての住宅再建支援を訴え、約2,500万人の署名を集めた。その結果、1998年に被災者生活再建支援法が成立し、家財道具などが対象の「被災者生活再建支援金」が創設され、国がそれまで認めなかった「個人資産に対する公的補償」の壁を破るという画期的な成果を得た。

それ以降も、被災地の声を踏まえた取り組みを進めた結果、2007年には住宅再建も「被災者生活再建支援金」の対象になるなど、被災者に寄り添う内容での支援制度拡充が実現した。住宅再建支援には公共の利益があり、公的支援を行うことが妥当と認められたのである。

連合は、大規模自然災害が起こる都度、国に対して雇用・労働・産業への支援、被災地の救援・復旧・復興に関する要請を行い、その結果、雇用調整助成金や雇用保険失業給付の特例措置導入など、被災地の声を着実に法律や制度の実現につなげてきた。

連合は、引き続き、災害救援ボランティアの派遣と法律・制度づくりの取り組みを、被災地支援における運動の両輪として進めていく。

5 継続的支援が必要な被災地の心とくらしのケア

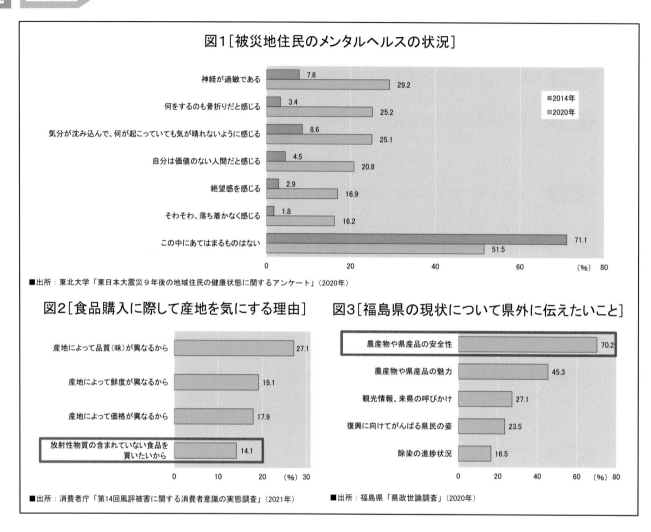

図1［被災地住民のメンタルヘルスの状況］

- 神経が過敏である 7.8 / 29.2
- 何をするのも骨折りだと感じる 3.4 / 25.2
- 気分が沈み込んで、何が起こっていても気が晴れないように感じる 8.6 / 25.1
- 自分は価値のない人間だと感じる 4.5 / 20.8
- 絶望感を感じる 2.9 / 16.9
- そわそわ、落ち着かなく感じる 1.8 / 16.2
- この中にあてはまるものはない 71.1 / 51.5

2014年
2020年

■出所：東北大学「東日本大震災9年後の地域住民の健康状態に関するアンケート」（2020年）

図2［食品購入に際して産地を気にする理由］

- 産地によって品質（味）が異なるから 27.1
- 産地によって鮮度が異なるから 19.1
- 産地によって価格が異なるから 17.9
- 放射性物質の含まれていない食品を買いたいから 14.1

■出所：消費者庁「第14回風評被害に関する消費者意識の実態調査」（2021年）

図3［福島県の現状について県外に伝えたいこと］

- 農産物や県産品の安全性 70.2
- 農産物や県産品の魅力 45.3
- 観光情報、来県の呼びかけ 27.1
- 復興に向けてがんばる県民の姿 23.5
- 除染の進捗状況 16.5

■出所：福島県「県政世論調査」（2020年）

東日本大震災から10年の節目となる2021年3月、政府は新たな「復興の基本方針」を閣議決定した。復興庁の設置期間を2031年まで10年間延長するとともに、被災者の心のケアや原発事故の避難指示解除地域への帰還を促進することなどを打ち出した。

復興に向けては、いまだ多くの課題が残されているが、時間の経過とともに、被災者の抱える問題は多様化・複雑化している。東北大学の調査によると、被災地住民の健康状態には悪化傾向が見られ、特にメンタルヘルスに関しては、何らかの不全症状を抱える人の割合が大幅に増加している（図1）。心のケアに関する取り組みを強化するべきである。

また、被災地では、自治体と関係団体などが連携してコミュニティ形成の支援を行っているが、連合の「復興ヒアリング調査」によると、地域で実際の活動を担う人材や資金の確保に課題があるとの声も上がっている。財政面を含めた活動基盤の強化をはかるなど、被災者のニーズに即した支援が継続的に行われる必要がある。

原発事故の被災地に関しては、地産品の風評被害が今なお払拭されていない。消費者庁の調査によると、食品産地を気にする理由として、「放射性物質の含まれていない食品を買いたいから」とした割合は14.1％に及ぶ（図2）。一方、福島県の調査では、「福島県民が県外に伝えたいこと」として、「農産物や県産品の安全性」を挙げた人が最も多く、風評被害の解消を求める意識の強さが浮き彫りとなっている（図3）。風評被害は、被災地の産業や雇用に大きな影響を及ぼすものであり、政府は、風評被害の払拭に向けた取り組みを徹底すべきである。

連合は、復興に向けた取り組みがさらに推進されるよう、政府に対して、被災自治体へのきめ細かな支援を継続・強化するよう求めていく。

6 DXの進展による産業構造の変化と公正な移行

図1［AI／IoTの進展に対する労働組合の視点］

○ AIによる雇用の喪失を過度に恐れる必要はないが、社会全体での対応が必要

○ 「公正な移行」のための労働組合が参画する社会対話の実現

○ リカレント教育などの人材育成に取り組む

○ DX分野における雇用創出とディーセント・ワークをめざす

○ 人事分野などにおけるAIの活用では労使での慎重なチェックが必要

○ 新技術による社会的課題解決に向けて「誰一人取り残さない」対応が必要

■出所：連合作成

図2［連合AI／IoT対応チーム報告書］

報告書はこちらからアクセスできます。

図3［労使が参画する枠組みのイメージ］

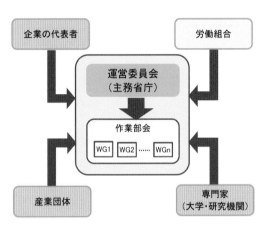

■出所：連合作成

図4［GDPに占める企業の能力開発費割合の国際比較］

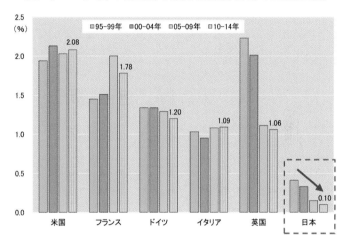

■出所：内閣府「国民経済計算」、JIPデータベース、INTAN-Invest databaseを利用して学習院大学経済学部宮川努教授が推計したデータより連合作成

経済・社会・産業全般におけるDX（デジタルトランスフォーメーション）の進展は、新たな産業価値の創造、人手不足の解消に向けた需要と供給のマッチング、消費者ニーズに合ったサービスの提供など、生活や経済の向上に資することが期待されている。加えてAIやIoTなどデジタル技術の利活用は、コロナ禍をきっかけにさらに加速することが想定される。そのため連合では、2019年9月よりAIやIoT（モノのインターネット）が産業や労働者、生活者のくらしに与える影響などについて調査を行い、「AI／IoT対応チーム報告書－技術革新×労働組合－」を公表し、労働組合の視点として6点指摘した（図1・2）。

中でも、DXの進展による産業構造の転換期においては、地域経済や社会・雇用などへの負の影響を最小限にとどめる「公正な移行」を実現する必要がある。政府には、その実現に向け

た、労使が参画する枠組みの早急な構築と産官学も加えた議論の加速が求められる（図3）。

さらに、産業構造の変化に対応するには、企業における人的投資、設備投資、研究開発などが不可欠であるが、企業が投じる能力開発費は先進諸国と比較して低い水準にあり、経年的にも低下している（図4）。政府は、企業のIT人材の育成に対する支援を強化する必要があるが、その際には、就労形態や企業規模による格差の防止に配慮が必要である。同時に、産業構造の変化にあわせて個人が学び続けられるリカレント教育の推進が求められる。

一方で、社会のデジタル化を推進するにあたっては、デジタル化された個人情報の保護を徹底しなければならない。なお、個人情報を用いてAIが判断を行う場合には、アルゴリズムの偏りなどによる差別の可能性がいまだ残ることも考慮する必要がある。

7 コロナ禍からの経済正常化と財政健全化

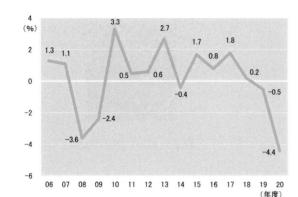

図1[実質GDP成長率（対前年比）]

■出所：内閣府「四半期別GDP速報」

図2[家計の貯蓄額・貯蓄率]

■出所：日本銀行「資金循環統計」

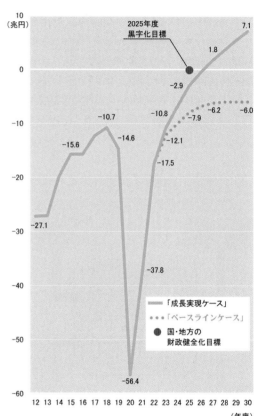

図3[国・地方の基礎的財政収支]

■注 ：上記の数値は、復旧・復興対策の経費および財源の金額を除いたベース
■出所：内閣府「中長期の経済財政に関する試算」（2021年7月）より連合作成

　2020年度の実質ＧＤＰ成長率は、コロナ禍の影響により前年比4.4％減と、リーマンショック時（同3.6％減）を超え、比較可能な1995年以降で最大の下げ幅となった（図1）。2021年度に入り、海外の景気回復に伴う輸出の増加などによって、2021年度4－6月期は前期比年率1.9％増と持ち直したものの、7－9月期は同3.0％減と依然として景気回復の足取りは弱い。これは長引く緊急事態宣言による消費マインドの冷え込みが消費を抑制した影響が大きい。

　緊急事態宣言が1年半ぶりに全面解除された2021年10月以降は、感染症の影響下で消費機会を失ったことなどにより増加した貯蓄が消費に転換されるとともに、一時的に感染者数が増加する局面があっても、ワクチン接種などの効果により経済活動の制限はごく限定的なものにとどまることから、経済正常化に向けた動きが進展するとの期待は大きい（図2）。しかし、新た

な変異株による「第6波」の発生や、半導体などの供給制約による企業業績の回復の鈍化など、不確実性も存在する点には留意が必要である。

　政府は、2021年内にも経済対策のための補正予算を組む予定としているが、その前にコロナ禍が浮き彫りにした様々な脆弱性の是正に向けたセーフティネット機能の拡充に取り組むべきである。

　一方で、コロナ禍における巨額の財政措置を受け、2025年度を目標としてきた基礎的財政収支の黒字化は、今年度中に目標年度の再確認を行うこととされた（図3）。持続可能な社会を将来世代に引き継ぐためには、財政健全化に向けた不断の取り組みを止めてはならない。人口減少・超少子高齢社会を前提とした税財政一体での抜本改革で財政健全化をはかり、財政運営を客観的に評価する独立財政機関の設置など、財政規律にも留意する必要がある。

8 税による所得再分配機能の強化に向けて

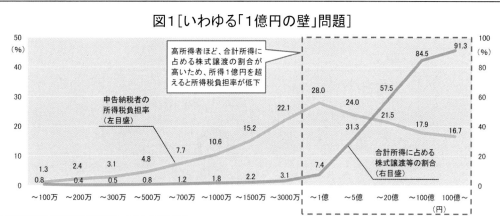

図1［いわゆる「1億円の壁」問題］

高所得者ほど、合計所得に占める株式譲渡の割合が高いため、所得1億円を超えると所得税負担率が低下

申告納税者の所得税負担率（左目盛）

合計所得に占める株式譲渡等の割合（右目盛）

■出所：国税庁「平成29年分申告所得税標本調査」をもとに連合作成

図2［就労支援給付制度の概要］
（給与収入200万円・単身者の場合）

〈就労支援給付制度のイメージ〉

給与収入55〜200万円で社会保険料・雇用保険料を負担している雇用労働者に対し、社会保険料・雇用保険料（給与の約15.2%）の半額に相当する金額を所得税額から控除。控除額が所得税額を上回る場合は、差額を還付する。
（給与収入200万円を超えると、控除額は段階的に低減・消失）

就労支援給付（給付付き税額控除）
※社会保険料＋雇用保険料の半額相当分

| | 差し引き | 還付額 14.92万円 |
| 15.2万円 | （控除しきれない分は還付） | |

所得税額
0.28万円

■注 ：2020年分以降の場合で計算
■出所：連合作成

「就労支援給付制度」による所得税・社会保険料負担の変化（概算）

		現行制度	変更後
社会保険料負担(A)		304,000	304,000
所得税額		26,800	2,800
就労支援給付制度の適用額		－	152,000
差し引き(B)（△：還付額）		26,800	△149,200
社会保険料と所得税の合計負担額(A＋B)		330,800	154,800

（円）

■注 ：2020年分以降の場合で計算。社会保険料、雇用保険料は給与収入の15.2%として計算。基礎控除以外の控除は考慮していない
■出所：連合作成

コロナ禍にあって貧困の固定化と格差の拡大、所得の二極化がこれまで以上に進む中、所得再分配機能の強化は喫緊の課題であり、そのためには個人所得課税の再構築が必要である。

所得税については、「すべての所得を合算して担税力の基準とし、そこに累進税率を適用する」総合課税が本来の姿であるが、現実には高所得者ほど所得税負担割合が低下する「1億円の壁」問題が生じている。金融所得課税が一律20％となっているため、株式譲渡など金融所得割合の高い高所得者は、所得1億円を超えると所得税負担割合が低下するのである（図1）。

この問題を解決するには、金融所得課税を強化して高所得者の所得税負担割合を適正なものにしていく必要がある。金融所得を含めたすべての所得を合算した総合課税化が最も望ましい姿である。しかし、これを実現するには、国民が保有するすべての預貯金口座をマイナンバーにひも付けて所得を正確に捕捉することが必要になるため、当面は金融所得にかかる税率を30％に引き上げるとともに、税率構造を段階化すべきである。

さらに、低所得被雇用者の負担を軽減するため、社会保険料・雇用保険料（労働者負担分）の半額に相当する金額を所得税から控除し、控除しきれない分は還付する「就労支援給付制度」を導入すべきである。この制度によって、低所得被雇用者の税負担のみならず、保険料負担の軽減も可能となる（図2）。

なお、「就労支援給付制度」導入には、個人所得課税において税額控除を導入し、その控除額が引ききれなかった場合に「負の所得税」を給付する「給付付き税額控除」制度を構築することが前提となる。そのためにはマイナンバーを活用した正確な所得捕捉が欠かせない。マイナンバーのさらなる普及がはかられるべきである。

9 マイナンバー制度の有効活用に向けて

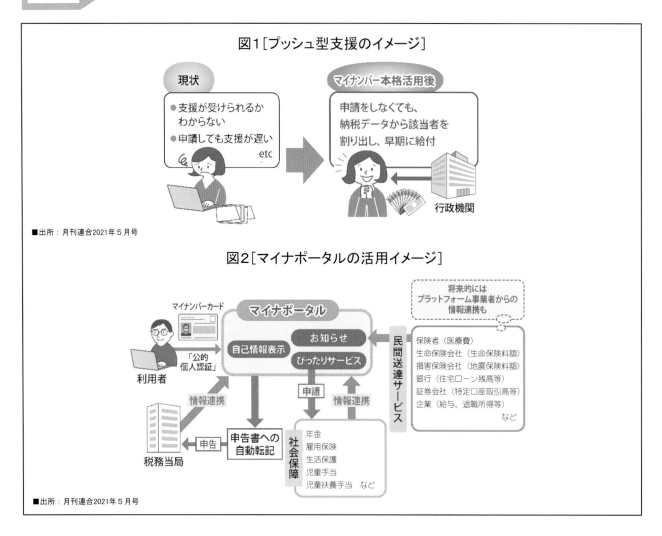

図1[プッシュ型支援のイメージ]

現状
● 支援が受けられるか わからない
● 申請しても支援が遅い etc.

マイナンバー本格活用後
申請をしなくても、納税データから該当者を割り出し、早期に給付

行政機関

■出所：月刊連合2021年5月号

図2[マイナポータルの活用イメージ]

■出所：月刊連合2021年5月号

　マイナンバー（社会保障・税番号）制度は、公平・透明・納得の税制、税の所得再分配機能の強化、安心と信頼の社会保障制度の実現、国民生活の利便性向上などを実現するために不可欠な制度である。個人情報保護策を徹底するとともに、マイナンバー制度の理解促進をはかり、法で定められた社会保障・税・災害対策の三分野での利用を促進していくことが重要である。

　コロナ禍において、欧米諸国の「給付付き税額控除」のインフラが「迅速な給付」「所得に応じた給付」に有用であったことを踏まえ、日本でもマイナンバーを活用し税情報（課税所得）と社会保障給付を一体的に運営する「給付付き税額控除」の制度設計を加速させる必要がある。

　加えて、マイナンバーと預貯金口座がひも付けされていなかったことが特別定額給付金など支援金給付遅れの大きな要因の一つであったことに鑑み、正確な所得捕捉による真に支援を必要とする層への「プッシュ型支援」の構築や、金融所得課税を含む所得税の総合課税化に向けて、すべての預貯金口座とマイナンバーのひも付けが必要である（図1）。

　さらに、デジタル行政の実現に向けては、公的個人認証となるマイナンバーカードの普及促進が重要である。2021年8月末現在、マイナンバーカードの交付率は37.6％にとどまっている。2021年10月から健康保険証としての利用も開始されたが、利便性向上に向けたさらなる取り組みが不可欠である。

　マイナンバーは、国・地方・民間（保険会社をはじめとする金融機関など）からの様々な情報を税申告（記入済み申告制度）と給付申請にもつなげることが可能であり、マイナンバーカードの交付率を上げ、マイナポータルを活用することで、行政手続きのデジタル化と税・社会保障の連携を促進することが重要である（図2）。

10 中長期的な企業価値の向上への労働組合の役割

図1[コーポレートガバナンス・コードの概要]

コーポレートガバナンス・コードとは

上場企業が守るべき5つの基本原則で構成された行動指針。「Comply（従う）or Explain（説明）」の手法にもとづき、基準に従うか、従わない理由を説明することが求められている。

基本原則1 株主の権利・平等性の確保
→株主の権利が実質的に確保され、適切に権利行使できる環境整備を行う

基本原則2 株主以外のステークホルダーとの適切な協働
→従業員をはじめとする様々なステークホルダーとの適切な協働に努める

基本原則3 適切な情報開示と透明性の確保
→財務情報や非財務情報の開示・情報提供に主体的に取り組む

基本原則4 取締役会等の責務
→株主に対する受託者責任・説明責任を踏まえ、取締役会等の役割・責務を果たす

基本原則5 株主との対話
→株主総会以外の場でも、株主と建設的な対話を行う

■出所：連合作成

図2[ESGの概要]

ESGとは

企業経営において、「Environment（環境）」「Social（社会）」「Governance（統治）」を考慮する必要があるという考え方

E（環境）
・気候変動など地球環境問題への対応
・資源消費の抑制

S（社会）
・働きやすい職場環境づくり
・多様性のある職場の実現
・様々なステークホルダーへの配慮

G（統治）
・効果的な企業統治体制の構築
・積極的な情報開示と透明性の確保
・中長期的な企業価値の向上への戦略

持続可能な経済・社会の形成

■出所：連合作成

企業には法令遵守の徹底やコーポレートガバナンス（企業統治）の強化をはじめ、社会的責任を踏まえた行動が求められる。とりわけ、コーポレートガバナンスの強化を通じた企業の持続的成長と中長期的な企業価値の向上は、働く者にとっても雇用の安定と労働条件の維持・向上の基盤となるものである。

東京証券取引所の「コーポレートガバナンス・コード」は、実効的なコーポレートガバナンスの実現に資する主要な原則を取りまとめたものである。2021年6月の改定版では、企業を取り巻く環境の変化を踏まえ、サステナビリティ（ESG要素を含む中長期的な持続可能性）課題への積極的・能動的な対応を一層進めていくことの重要性が強調された（図1）。

サステナビリティの具体例としては、気候変動などの地球環境問題への配慮、人権の尊重、従業員の健康・労働環境への配慮や公正・適正な処遇、取引先との公正・適正な取引などが挙げられている。これらの課題への対応は、リスクの減少のみならず収益機会にもつながる重要な経営課題であるとしており、中長期的な企業価値の向上の観点から、これらの課題に積極的・能動的に取り組むよう検討を深めるべきとしている。

労働組合は、企業の重要なステークホルダー（利害関係者）であるだけでなく、自らも社会的責任を果たすべき存在である。また、自らの職場において、ディーセント・ワーク（働きがいのある人間らしい仕事）を実現するためには、働く者の立場から企業の活動や事業のあり方についてチェック・提言機能を発揮していかなければならない。その際は、企業に対して、ESGの観点を踏まえ、中長期的な企業価値の向上に向けて積極的に取り組むよう働きかけを進めていくことが重要である（図2）。

11 気候変動対策に必要な職場の人材とシステム

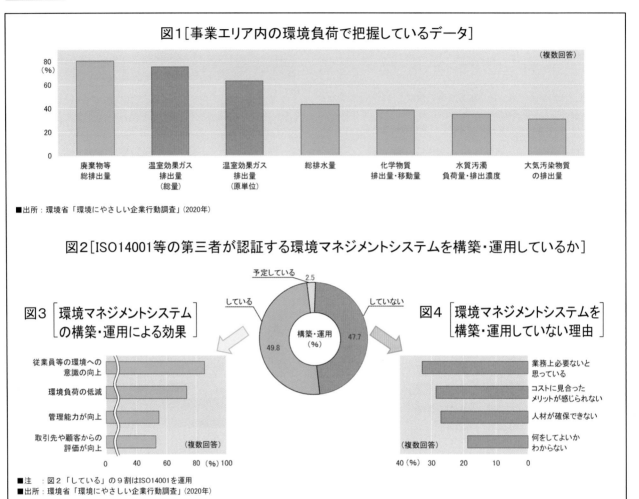

図1[事業エリア内の環境負荷で把握しているデータ]

（複数回答）

廃棄物等総排出量／温室効果ガス排出量（総量）／温室効果ガス排出量（原単位）／総排水量／化学物質排出量・移動量／水質汚濁負荷量・排出濃度／大気汚染物質の排出量

■出所：環境省「環境にやさしい企業行動調査」（2020年）

図2[ISO14001等の第三者が認証する環境マネジメントシステムを構築・運用しているか]

予定している 2.5
している 49.8
していない 47.7
構築・運用（%）

図3［環境マネジメントシステムの構築・運用による効果］

従業員等の環境への意識の向上／環境負荷の低減／管理能力が向上／取引先や顧客からの評価が向上
（複数回答）
0　40　60　80（%）100

図4［環境マネジメントシステムを構築・運用していない理由］

業務上必要ないと思っている／コストに見合ったメリットが感じられない／人材が確保できない／何をしてよいかわからない
（複数回答）
40（%）30　20　10　0

■注　：図2「している」の9割はISO14001を運用
■出所：環境省「環境にやさしい企業行動調査」（2020年）

　政府が「2050年までにカーボンニュートラルを実現する」と表明して以降、国内各方面での気候変動への対応が進む中、企業、職場における取り組みもこれまで以上に重要となる。

　産業界では、気候変動リスク低減・排出削減を定量化する取り組みが拡大しており、自社だけでなくサプライチェーン各社にも気候変動対策などの環境対応を求めるようになっている。さらに、ＥＳＧ投資の高まりで、環境負荷や環境対応に関する情報公開が求められている。

　環境省の「環境にやさしい企業行動調査」によると、企業が事業エリア内で把握している環境負荷データは、温室効果ガス排出量（総排出量・原単位）が廃棄物の排出量に次いで多く、化学物質、水質や大気に関するデータ把握を上回る（図1）。さらに、社内環境マネジメントシステムの構築・運用に関する企業の意識調査によれば、全体の半数を占める社内環境マネジメ

ントシステム運用済みの企業（図2）が「運用によって得られた効果」として挙げるのは「従業員等の環境への意識の向上」が最も多い（図3）。一方で、残る半数の未構築企業（図2）が挙げる「構築・運用していない」理由では、「業務上必要ない」「コストに見合ったメリットが感じられない」とともに「人材が確保できない」が上位となっている（図4）。

　現在でも、一定以上のエネルギーを消費する事業者には、省エネ法で管理者の設置や地球温暖化対策推進法による排出量の報告が義務づけられているが、環境対応の必要性がさらに高まる中、未対応の企業においては、社内システムの構築とあわせて専門人材の確保・育成が必要となる。連合は、持続可能な企業行動に向けて、政府に対し、システム構築や情報公開へのインセンティブ強化と専門人材育成に向けた環境整備やサポートを引き続き求めていく。

12 老後の所得確保に向け企業年金の普及拡大を

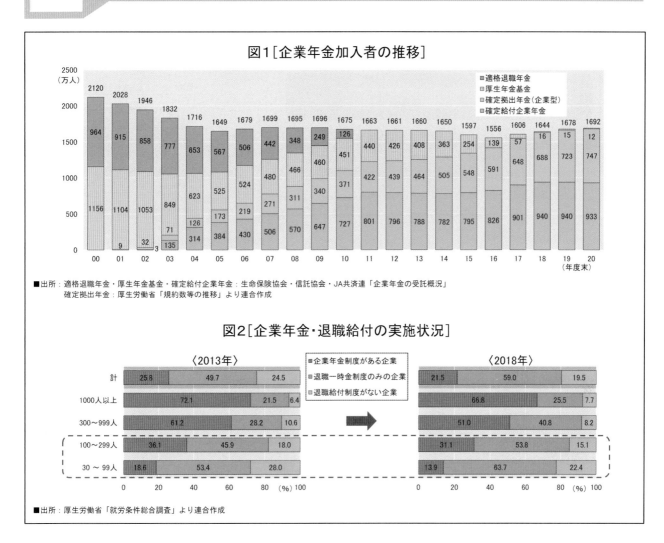

図1[企業年金加入者の推移]

■出所：適格退職年金・厚生年金基金・確定給付企業年金：生命保険協会・信託協会・JA共済連「企業年金の受託概況」
　　　　確定拠出年金：厚生労働省「規約数等の推移」より連合作成

図2[企業年金・退職給付の実施状況]

■出所：厚生労働省「就労条件総合調査」より連合作成

Ⅲ 現状と課題

　2020年6月に施行された「改正確定給付企業年金（DB）法」では、企業における高齢者雇用に応じた柔軟な制度運営を目的に、労使合意にもとづく規約により、65歳までとしていたDBの支給開始時期を70歳まで設定することが可能になった。2020年10月に施行された「改正確定拠出年金（DC）法」では、簡易型DC（事務手続きが簡素化された企業型DC）および中小事業主掛金納付制度（iDeCo＋（事業主がiDeCoの加入者掛金に上乗せして拠出する制度））の対象が、従業員規模100人以下から300人以下に拡大された。2022年には、確定拠出年金（企業型DC・iDeCo）における老齢給付金の受給開始年齢の引き上げ、加入可能年齢の拡大などの改正法施行が予定されている。

　企業年金の多くは退職金制度から切り替えられたものであり、賃金の後払いの性格を有するとともに、公的年金を補完する機能がある。し

かし企業年金の加入者は、近年は微増しているものの、長期的には低下傾向にある（図1）。また、特に従業員規模が小さい中小・零細企業ほど企業年金制度を持つ企業が少なく（図2）、企業年金が適用されている短時間・有期等労働者はごく少数にとどまる。

　今後公的年金の給付水準が長期的に低下していく中、企業年金の普及促進の重要性が高まっている。企業規模や雇用形態にかかわらず、多くの労働者が老後の所得を確保できるよう、企業年金の適用範囲を広げていく必要がある。そのため、労働組合としては、①企業年金のない事業所における企業年金制度の整備、②「同一労働同一賃金ガイドライン」を踏まえた短時間・有期等で働く労働者への退職金規程の整備、③事業主によるDB・企業型DCから個人型DCへの一方的な移行に対する監視など、組織化と一体となった取り組みを進めていく。

13 すべての労働者に社会保険の完全適用を

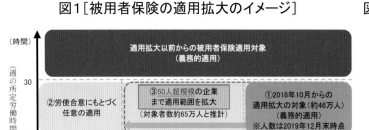

図1［被用者保険の適用拡大のイメージ］

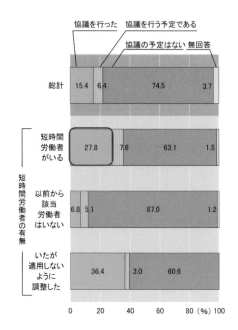

図2［企業との協議に苦慮する労働組合］

対象	要件	2016年10月〜	2022年10月〜	2024年10月〜
短時間労働者	①労働時間	週所定労働時間20時間以上	変更なし	変更なし
	②賃金	月額賃金8.8万円以上	変更なし	変更なし
	③勤務期間	継続して1年以上使用される見込み	継続して2ヵ月を超えて使用される見込み	継続して2ヵ月を超えて使用される見込み
	④適用除外	学生ではないこと	変更なし	変更なし
事業所	⑤企業規模	常時500人超	常時101人以上	常時51人以上

■出所：厚生労働省HP、日本年金機構HPより連合作成

■出所：連合「社会保険の適用拡大に関する調査」（2018年4月）

　短時間労働者の場合、社会保険は、所定労働時間等が通常の労働者の3/4以上の者に加えて、①週所定労働時間20時間以上、②月額賃金8.8万円以上、③勤務期間1年以上見込み、④学生は適用除外、⑤従業員501人以上の企業に勤務の条件を満たす者に適用される。また、2016年成立の年金改革法により、2017年4月から従業員500人以下の企業でも、労使合意にもとづき短時間労働者への適用拡大が可能となった。さらに、2020年5月に成立した年金制度改革関連法により、③勤務期間要件は2ヵ月以上（2022年10月〜）、⑤企業規模要件は101人以上（同）、51人以上（2024年10月〜）に引き下げられる（図1）。

　適用拡大が進む中、適用を回避する動きもある。JILPTの事業所調査（2018年）によると、社会保険を適用しなかった理由は「短時間労働者自身が希望していない」が91.6％を占め、「総額人件費の増加につながるから」（18.5％）

が続く。「短時間労働者自身が希望していない」と回答した事業所に理由を尋ねたところ、「配偶者控除を受けられなくなるから」などが挙がり、社会保険の適用要件や税制の所得控除の仕組みなどが分かりにくいことが一因と考えられる。

　連合調査によると、対象となる短時間労働者がいる企業で実際に協議を行った労働組合は、「短時間労働者は組合員でない」「労使協議事項ではない」などの理由で、27.8％にとどまっており、労働組合が企業との協議に苦慮している様子がうかがえる（図2）。

　さらなる適用拡大のためには、労働組合が①適用されるべき労働者全員の適用状況を点検・確認する、②事業主による適用逃れのための就労調整がなされないよう求める、③労働者自身が給付と負担につき正確に理解できるよう周知徹底を行う、④500人以下企業において適用を積極的に事業主に求めることが必要である。

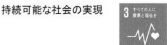

14 事業所内に安心・安全な質の高い保育施設の設置を

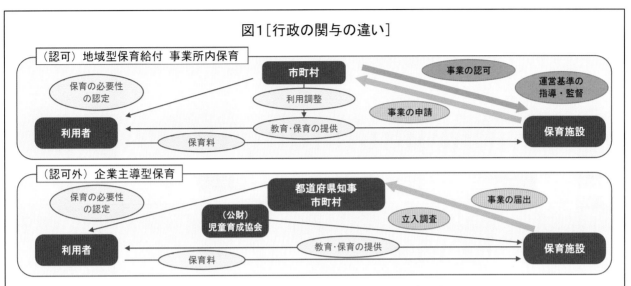

図1[行政の関与の違い]

■出所：内閣府「子ども・子育て支援新制度について」「企業主導型保育事業費補助金実施要綱」（2021年7月）より連合作成

図2[企業主導型保育事業における指導・監査の実施状況（2019年度）]

調査内容	施設数	指導等
立入調査	502	指摘事項があった施設：365（72.7%）
特別立入調査	40 【35設置者】	文書指導があった施設： 23（57.5%） 【18設置者（51.4%）】
午睡時 抜き打ち調査	262	現場にて口頭のみの指導

■出所：公益財団法人 児童育成協会「企業主導型保育事業における立入調査の状況について（令和元年度結果）」「企業主導型保育事業における特別立入調査の状況について（令和元年度結果）」「企業主導型保育事業における午睡時抜き打ち調査の状況について（令和元年度結果）」を使用し連合作成

Ⅲ
現状と課題

　事業所内保育所は、事業所の従業員の育児と仕事を両立するために、事業主などが実施主体となり設置する施設である。

　児童福祉法にもとづく市町村の認可基準を満たし、従業員枠と地域枠を設けることで、子ども・子育て支援新制度における地域型保育給付の対象となり、公費と利用料による運営が行える。職員の配置や保有資格、保育室などの面積や調理設備の設置基準などについて市町村による立入検査や認可の取消しなどの指導・監督が行われ、保育の質が担保される仕組みとなっている。なお、複数の企業が合同で設置することも可能で、全国に645施設（2020年4月時点）が設置されている。

　一方、保育の受け皿拡大のため政府が2016年度に新設した企業主導型保育事業の施設数（2021年3月時点、4,223施設）が急増している。事業主などによる都道府県知事への届出のみで設置でき、運営にあたって市町村の関与がない認可外保育施設である（図1）。企業主導型保育事業は、認可施設に比べ人員配置基準が緩和されているほか、立入調査は「2か年に渡って同様の指摘を受けた施設」や「立入調査を実施したことがない施設のうち、地方自治体においても立入調査を実施しない施設」などに対象が限定されているなど、指導・監査が行き届いておらず、保育の質が担保されていない（図2）。

　保育サービスは育児と仕事を両立するうえで極めて重要なものであり、子どもを安心して預けられる環境の整備は不可欠である。企業主導型保育事業については、職員の配置状況や施設の設置基準の遵守を労働組合が厳格にチェックすることや職員の保育士比率の引き上げ、市町村との連携、指導・監査の徹底など、保育の質の向上のために事業運営を改善していく労使の取り組みが重要となる。

15 学校のICT活用における課題の改善に向けて

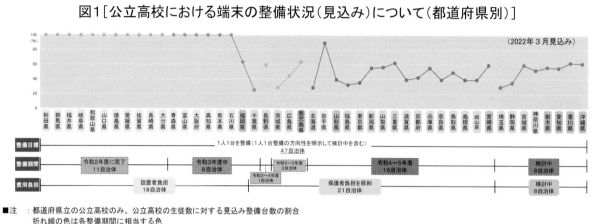

図1[公立高校における端末の整備状況（見込み）について（都道府県別）]

（2022年3月見込み）

整備目標	1人1台を整備（1人1台整備の方向性を明示して検討中を含む） 47自治体
整備期間	令和2年度に完了 11自治体 ／ 令和3年度中 8自治体 ／ 令和3～5年度 3自治体 ／ 令和4～6年度 16自治体 ／ 検討中 8自治体
費用負担	設置者負担 18自治体 ／ 令和3～4年度 1自治体 ／ 保護者負担を原則 21自治体 ／ 検討中 8自治体

■注　：都道府県立の公立高校のみ。公立高校の生徒数に対する見込み整備台数の割合
　　　　折れ線の色は各整備期間に相当する色
■出所：文部科学省「GIGAスクール構想に関する各種調査の結果」（2021年8月）

図2[ネットワーク環境の事前評価（アセスメント）の実施状況]

■事前評価（アセスメント）の実施状況（設置者数）

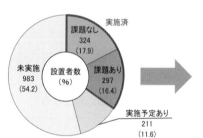

設置者数（％）
実施済
課題なし 324（17.9）
課題あり 297（16.4）
実施予定あり 211（11.6）
未実施 983（54.2）

■事前評価において課題となった主な内容

・接続速度の不安定

・同時通信による通信回線圧迫の可能性

・センター集約型のため、回線が逼迫しており接続が不安定

・センターで集約してネットワークに接続しているため、利用が集中し繋がりにくくなる等の課題があるため、各学校から直接インターネットへ接続する方法に変更予定

・無線AP、端末の処理能力、性質の方がボトルネックになっているため、無線APのチューニング、増設、機器更新を計画

■出所：文部科学省「GIGAスクール構想に関する各種調査の結果」（2021年8月）

　「ＧＩＧＡスクール構想」は、教育のＩＣＴ（情報通信）化の施策として2019年度に本格始動した。児童生徒向けに１人１台の端末と校内通信ネットワーク（高速大容量）を５年間で一体的に整備することで、子どもの主体的な学びを促進するとともに、校務をＩＣＴ化し、教育職場の負担軽減をはかることを目的としている。

　１人１台端末の導入スケジュールは、コロナ禍でオンラインを活用した授業や学習が必須となったこともあり、大幅に前倒しされ、2020年度末には義務教育課程の整備が概ね完了した。

　１人が１台の端末を持つことは、障がいなどにより従来の教科書を使った学習が困難な子どもの支援、プログラミング教育など新学習指導要領における授業の改善にもつながる施策である。引き続き、ソフトウエア費、保守・機器更新費などの予算化や、家庭におけるインターネット接続環境の格差への配慮、高校生への対象拡大が必要である（図１）。

　一方、端末利用が本格化する中で、アクセス環境の地域間・学校間格差が課題となっている。社会インフラとして、同時アクセスに耐えうる高速大容量ネットワークを早期に整備すべきである（図２）。

　また、一部教員に各種設定やトラブル対応などの負荷が集中する状況も散見されている。ＩＣＴ支援員の一層の拡充、情報漏洩や子どもの人権侵害の防止の観点からも、アカウント・パスワードの適切な設定など、情報管理の徹底が求められる。

　加えて、子どもたちがＩＣＴを効果的かつ責任を持って使えるようにするため、「ＧＩＧＡスクール構想」の主旨に鑑み、発達段階に応じて、メディアリテラシーをはじめ、ユネスコなどが推奨する「デジタル・シティズンシップ教育」を推進することが重要である。

16 深刻化する低投票率の改善に向けて

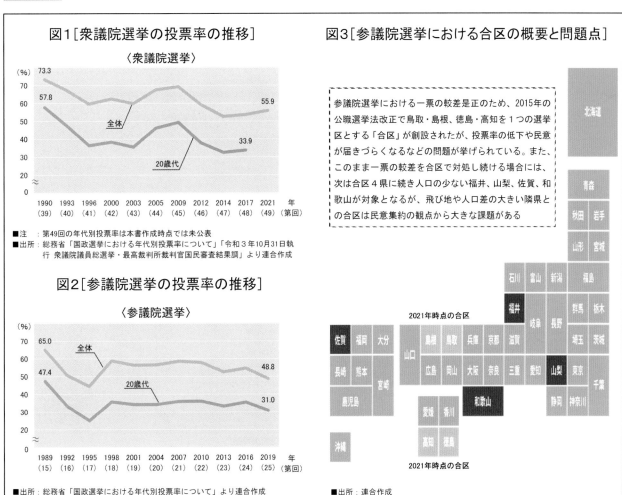

図1［衆議院選挙の投票率の推移］

〈衆議院選挙〉

- 注 ：第49回の年代別投票率は本書作成時点では未公表
- 出所：総務省「国政選挙における年代別投票率について」「令和3年10月31日執行 衆議院議員総選挙・最高裁判所裁判官国民審査結果調」より連合作成

図2［参議院選挙の投票率の推移］

〈参議院選挙〉

- 出所：総務省「国政選挙における年代別投票率について」より連合作成

図3［参議院選挙における合区の概要と問題点］

参議院選挙における一票の較差是正のため、2015年の公職選挙法改正で鳥取・島根、徳島・高知を1つの選挙区とする「合区」が創設されたが、投票率の低下や民意が届きづらくなるなどの問題が挙げられている。また、このまま一票の較差を合区で処理し続ける場合には、次は合区4県に続き人口の少ない福井、山梨、佐賀、和歌山が対象となるが、飛び地や人口差の大きい隣県との合区は民意集約の観点から大きな課題がある

2021年時点の合区

- 出所：連合作成

　選挙は、民主主義国家において有権者が政治に参加し、その意思を反映させることのできる最も重要かつ基本的な機会である。

　しかし近年、日本では各級選挙での深刻な低投票率が問題となっている。衆議院選挙においては、2014年（第47回）に戦後最低の投票率を記録して以降、直近の2021年（第49回）に至るまで、深刻な低投票率が継続している（図1）。参議院選挙も投票率が6割を切る状況が続いており、直近の2019年（第25回）の選挙では投票率が戦後2番目に低い48.80％を記録した（図2）。中でも日本の将来を担う若年層の低投票率は深刻な状況で、国政選挙の20歳代の投票率は30％台にとどまる。

　投票率が伸びない要因のうち最も危惧すべきは、政治への関心・信頼の低下であり、「投票に行っても政治やくらしは変わらない」と考える有権者が多数を占めていることが各種世論調査で明らかとなっている。

　他の要因として各種制度の問題がある。2021年の衆議院選挙では投票所の数が前回比で1,275ヵ所減少した。また、「投票日当日に用事があり投票に行けなかった」という有権者も多数いる中で、共通投票所の設置や期日前投票時間の弾力的設定も十分には進んでいない。加えて、参議院選挙の合区対象県では投票率が著しく低下しており、合区制度と投票率の関連性が指摘されている。地方の人口減少が進んでいく中で、多くの問題をはらむ合区によって一票の較差を解消し続けることに合理性はない（図3）。

　連合は、投票率の向上と民主主義のさらなる成熟に向けて、生活者・働く者の視点に立った与野党の建設的な政策論議、また、新型コロナウイルス感染症の状況も踏まえ電子投票など投票環境の整備、合区の早期解消、さらに、主権者教育の充実などを求めていく。

職場環境の改善

17 豊かな生活時間とあるべき労働時間の実現に向けて

図 ［豊かな生活時間の確保とあるべき労働時間の実現に向けた取り組み］

連合「働くことを軸とする安心社会」

豊かな生活時間の確保とあるべき労働時間の実現に向けて（めざす姿）

相互の時間を確保するための対応

時間外割増率の引き上げ　休日・深夜労働の代償措置

基盤整備

豊かな生活時間の確保に向けて
- 年休の確実な取得と各種休暇制度等の充実
- 深夜や休日労働の抑制
- 柔軟な労働時間制度の導入
- 生活時間帯における「つながらない権利」

基盤整備

豊かで社会的責任を果たしうる生活時間

あるべき労働時間

基盤整備

あるべき労働時間の実現に向けて
- 管理監督者を含むすべての労働者の労働時間管理
- 36協定の適切な締結と運用の徹底
- 働き方も含めた取引の適正化
- 過重労働防止に向けた健康確保措置
- 安全な職場の構築

- 健康（睡眠・食事）が十分に確保できる
- 通勤・通学時間
- 育児、介護、病気の治療
- 余暇の充実（自己啓発、趣味など）
- 地域との関わりや社会貢献（消防団や自治会、ボランティア、保護者会など）

16時間以上／日

- 過労死の根絶
- 長時間労働の是正
- 過重労働の防止
- 健康かつ安全
- 個々人の能力を最大限発揮できる
- 新たなスキル・能力を開発できる

8時間以下／日

年間総実労働時間 1800時間

【豊かな生活時間】
睡眠、身の回り、食事など生理的に必要な活動の時間に加え、家族とのふれあい、趣味、地域活動、交際、自己啓発なども含めた豊かで社会的責任を果たしうる時間

【あるべき労働時間】
本来、労働者が従事すべき労働時間として超過勤務を前提としない労働基準法で定める原則の上限労働時間

■注　：第17回中央執行委員会確認（2018年12月）
■出所：連合作成

　「働き方改革」が叫ばれて久しい昨今、法律面では「時間外労働の上限規制」が導入されるなど、労働時間縮減に向けた環境整備が進みつつある。しかし、私たちが安全で健康に働くことができ、豊かな暮らしを送るためには、労働時間縮減だけではなく「豊かな生活時間」を確保する視点が欠かせない。

　こうした認識のもと、2018年に連合は、すべての働く者が豊かで社会的責任を果たしうる「生活時間の確保」と、職場で最大限のパフォーマンスが発揮できる「労働時間の実現」を同時に追求する「豊かな生活時間の確保とあるべき労働時間の実現に向けた方針」（以下、方針）を策定し、取り組みを進めてきた。

　方針では、「豊かな生活時間の確保」に向けて、年次有給休暇の確実な取得や深夜・休日労働の抑制、生活時間帯における「つながらない権利」の保障などを、「あるべき労働時間の実現」に向

けては、労働時間管理の徹底や３６協定の適切な締結と運用などを、それぞれ示している。そして、「相互の時間を確保」するための取り組みとして、時間外割増率の引き上げや休日・深夜労働の代償措置の導入を掲げている。

　方針策定から３年余が経過し、各組織で取り組みを進めた結果、有給休暇取得日数（2018年：9.7日→2020年11.1日）や年間総労働時間（同：2100時間→同：2050時間）の各種指標は改善傾向にある（連合「2020年度労働条件の点検に関する調査」）。一方で、コロナ禍でテレワークの導入などが進む中、プライベートと仕事の切り分けが曖昧になりがちな傾向が指摘されている。私たちは働く者である以前に生活者であり、生活時間の大半が労働時間に埋め尽くされることはあってはならない。今こそ、「あるべき労働時間」と「豊かな生活時間」の両面から、取り組みを進めていく必要がある。

18 36協定の適切な締結と長時間労働の是正

図1［36協定を締結した当事者　わからないが3割］

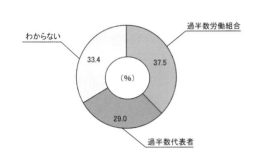

過半数労働組合 37.5
わからない 33.4
（％）
過半数代表者 29.0

■出所：連合「『36協定』『日本の社会』に関する調査2019」

図2［過半数代表者　適切な選出は3割弱］

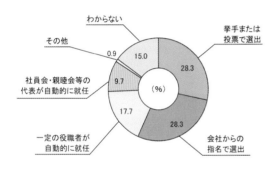

わからない
その他 0.9
挙手または投票で選出 28.3
（％）
社員会・親睦会等の代表が自動的に就任 9.7
15.0
一定の役職者が自動的に就任 17.7
会社からの指名で選出 28.3

■出所：連合「『36協定』『日本の社会』に関する調査2019」

図3［36協定の適切な締結に向けたチェックリスト］

有効な36協定の締結のため、以下の項目について締結の都度確認を行う。

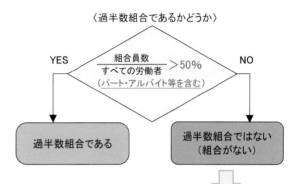

〈過半数組合であるかどうか〉

組合員数 / すべての労働者（パート・アルバイト等を含む） ＞50%

YES → 過半数組合である

NO → 過半数組合ではない（組合がない）

〈過半数代表者の選出が必要〉
□全労働者の過半数を代表しているか
□管理監督者ではない
□選出方法は適切か
　◆投票、挙手、話合い、持回り決議により労働者の間で民主的に選ばれているか
　◆使用者からの指名ではないこと

■出所：厚生労働省HP

Ⅲ 現状と課題

　働き方改革の推進など労使の取り組みやコロナ禍での経済活動の抑制等によって、総実労働時間は全体的に減少傾向にある。しかし、産業別・企業規模別に見れば、長時間労働の是正は道半ばといえる。連合総研「第40回勤労者短観（2020年12月）」でも「（時間外労働）月100時間以上が未だに4.2％存在」することが分かった。

　長時間労働を是正していくためには、まずはすべての職場で労働時間の適正な把握と管理が行われることが不可欠である。加えて、時間外労働・休日労働を必要最小限にとどめた３６協定の締結が重要となる。職場の実態を把握し、業務の棚卸しや人員体制の見直しの必要性などについて、労使で徹底した協議を重ね、適切な時間数で協定を締結することが求められている。

　また、労働者が納得して労働時間短縮に取り組むためには、３６協定の適正な締結が欠かせない。2019年の連合調査によれば、３６協定締結の当事者が「分からない」との回答が全体の３割超となっている（図1）。過半数組合であっても、締結の都度、「パート、アルバイト等を含めたすべての労働者」の過半数を組織しているか点検が必要なことに留意しなければならない。

　過半数組合がない場合、過半数代表者の選出が必要となる。前出の連合調査によれば、適切な選出方法である「挙手または投票で選出」との回答は全体の３割弱にとどまっている（図2）。過半数代表者は、管理監督者を除く労働者の中から、投票や挙手など民主的な方法で選出される必要がある。過半数組合でない場合でも、組合の代表が過半数代表者に立候補するなど、適正な運用に向けた働きかけが求められる（図3）。

　すべての働く仲間のいのちと健康を守るため、今一度、すべての職場において、３６協定の点検・見直しを徹底するとともに、過半数代表制の適正な運用に取り組まなければならない。

19 年次有給休暇の完全取得をめざして

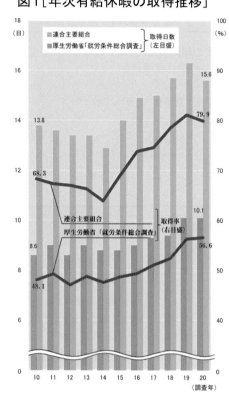

図1[年次有給休暇の取得推移]

■注 ：連合主要組合の2020年実績は速報値
■出所：連合「労働条件調査」、厚生労働省「就労条件総合調査」

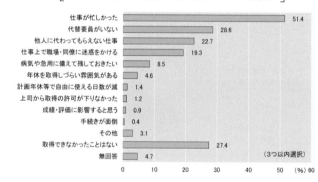

図2[年休が取りやすくなった理由]

年休の年5日の取得義務化の施行	67.8
会社や上司などからの年休取得への積極的な働きかけ	44.2
自分で積極的に取得するよう心掛けた	31.4
仕事の内容、進め方の見直し（仕事の効率化等）	23.2
年休取得のための目標設定（取得率、取得日数等）	14.6
年休の計画的付与制度の導入・定着	13.9
職場の人数が増えたから	11.7
時間単位年休制度の導入・拡充	3.9
不慮の事態に備えた特別休暇等の導入、拡充	2.6
業績悪化の生産調整等で仕事の量が減っているから	1.6
その他	4.0
無回答	1.7

■注 ：3年前と比べて、年次有給休暇の取得しやすさについて「かなり取りやすくなった」「やや取りやすくなった」と回答した者を対象に集計
■出所：JILPT「年次有給休暇の取得に関するアンケート調査」（2021年7月）

図3 [年次有給休暇を取得したいと思ったタイミングで取得できなかった理由]

仕事が忙しかった	51.4
代替要員がいない	28.6
他人に代わってもらえない仕事	22.7
仕事上で職場・同僚に迷惑をかける	19.3
病気や急用に備えて残しておきたい	8.5
年休を取得しづらい雰囲気がある	4.6
計画年休等で自由に使える日数が減	1.4
上司から取得の許可が下りなかった	1.2
成績・評価に影響すると思う	0.9
手続きが面倒	0.4
その他	3.1
取得できなかったことはない	27.4
無回答	4.7

（3つ以内選択）
■出所：連合「2021年生活アンケート」

　年次有給休暇（以下、「年休」）取得率は近年上昇傾向にあったが、直近で確認できる2020年では横ばいに転じた。厚生労働省「就労条件総合調査（2021年）」では、2020年の年休平均取得率は56.6％（前年比0.3ポイント増）だが、平均取得日数は10.1日（同±0）と増えていない。また、連合「労働条件調査」（2021年度）の主要組合速報値は79.9％（同1.2ポイント低下）であった（図1）。

　この変化は、2019年4月の働き方改革関連法施行で義務化された年5日の年休取得への対応が一定程度完了したことが影響していると推察される。JILPT「年次有給休暇の取得に関するアンケート調査」で年休が取りやすくなった理由としては「年休の年5日の取得義務化の施行」が一番多いが、その次に多い「会社や上司などからの年休取得への積極的な働きかけ」のように法規制に依らずとも年休が取りやすい

職場になるよう、労働組合の運動の取り組みが必要である（図2）。

　一方、年休を取得できない理由を連合「2021年生活アンケート」速報値で見てみると、取得したいと思ったタイミングで取得できなかった理由として「仕事が忙しかった」が特に多く、次いで「代替要員がいない」「他人に代わってもらえない仕事」となっており、仕事の割り振りや要員不足が主な要因と見て取れる（図3）。

　年休取得促進に労働組合が大きな役割を果たし得ることは、連合主要組合の年休取得率が厚生労働省調査の結果を大きく上回っていることから分かる（図1）。現場の現状把握、交代要員の確保、計画取得の促進など労働組合だからこそ果たせる役割や要求できることがある。年休取得の促進には労働組合の継続的な取り組みが不可欠である。

20 派遣法の職場定着と雇用安定の実現

図1[雇用安定措置を講じた割合（2016年度〜2019年度）]

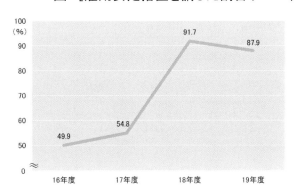

■注 ：対象派遣労働者数に対する第1号から第4号の措置を講じた人数の合計の割合
「第1号措置」とは派遣先への直接雇用の依頼、「第2号措置」とは新たな派遣先の提供、「第3号措置」とは派遣元での派遣労働者以外の労働者として無期雇用、「第4号措置」とはその他の措置を講じることをいう
■出所：厚生労働省「労働者派遣事業報告書」集計結果より連合作成

図2[雇用安定措置に関する 派遣元企業からの相談の有無]

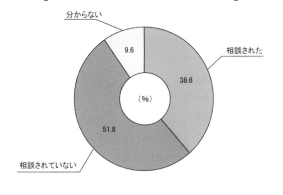

■出所：厚生労働省「労働者派遣法施行状況調査結果」（令和元年度）

図3[希望聴取の有無]

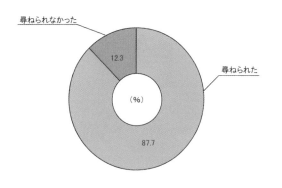

■出所：厚生労働省「労働者派遣法施行状況調査結果」（令和元年度）

　2021年1月および4月、従来努力義務とされていた項目を義務化する改正労働者派遣法が施行された。特に、派遣先事業主を「雇用する事業主」と見なし、派遣先の苦情処理義務を強化するとともに、「雇用安定措置」における派遣労働者の希望聴取が義務化されたことに十分留意し、改正法の周知を職場に徹底する必要がある。

　「雇用安定措置」の実施状況について事業報告を取りまとめた集計結果によれば、2019年度には対象派遣労働者の9割弱に対して、派遣元事業主が第1号から第4号までのいずれかの雇用安定措置を講じており、2016年度の5割弱から大幅に改善している（図1）。

　一方、派遣労働者を対象とした2019年度の厚生労働省調査結果では、「雇用安定措置に関する派遣元企業からの相談の有無」について、派遣労働者が「相談された」とする割合は4割弱（図2）、そのうち、希望を聴取された割合は9割弱

（図3）となっている。

　これらの結果を踏まえれば、大半の対象派遣労働者に雇用安定措置が講じられたものの、派遣元企業が対象者に希望を聴取し、個々人の希望に応じた措置を講じたかという点で課題が見られる。今般の派遣法改正はこうした課題の改善につながる内容であり、今後職場に定着させていくことが重要である。

　特に、コロナ禍において派遣労働者の雇用の不安定さが増している中で、雇用安定措置の確実な実施や、教育訓練など派遣労働者のキャリア形成に資する取り組みの必要性が一層高まっている。

　同じ職場で働く仲間である派遣労働者のために、派遣元・派遣先の労働組合は、「期間に定めのない直接雇用」の原則を踏まえ、雇用の安定や処遇改善に向け、積極的に社会的責任と役割を果たしていかなければならない。

職場環境の改善

21 高齢期におけるディーセント・ワークの実現

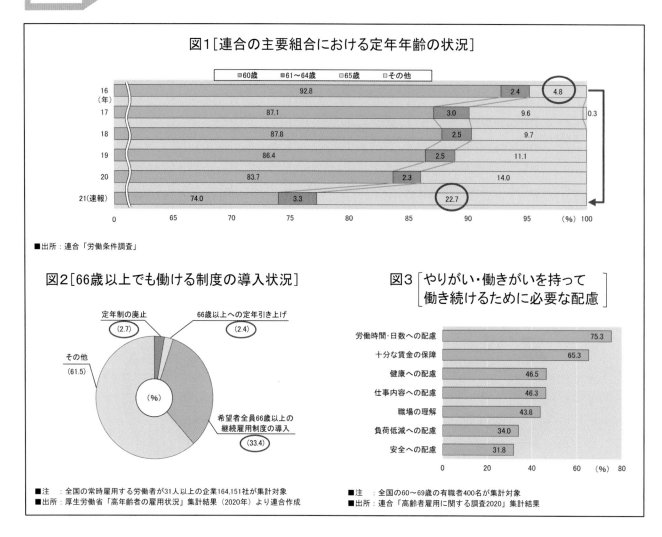

図1［連合の主要組合における定年年齢の状況］

■出所：連合「労働条件調査」

図2［66歳以上でも働ける制度の導入状況］

図3 やりがい・働きがいを持って
働き続けるために必要な配慮

■注　：全国の常時雇用する労働者が31人以上の企業164,151社が集計対象
■出所：厚生労働省「高年齢者の雇用状況」集計結果（2020年）より連合作成

■注　：全国の60〜69歳の有職者400名が集計対象
■出所：連合「高齢者雇用に関する調査2020」集計結果

　希望者誰もが60歳以降も安心して活き活きと働き続けることができるための環境整備。それは「人生100年時代」を迎えた今、労使の主要課題の１つとなっている。

　連合は、2020年に策定した「60歳以降の高齢期における雇用と処遇に関する取り組み方針」において、雇用と年金の確実な接続の観点から、65歳までの雇用は定年引き上げを基軸に取り組むことを確認した。各組織が取り組みを進める中、連合の主要な組合における定年年齢の状況を見ると、65歳定年としている割合は直近５年で大幅に増加した（図１）。一方で、60歳定年・以降は継続雇用としている組合も多い。その場合でも、継続雇用者選定基準の撤廃等、65歳まで雇用が確実に維持される制度となるよう取り組む必要がある。あわせて賃金等の処遇についても、60歳以降も高いモチベーションを持って働き続けることができる制度構築が必要である。

　65歳を超える高齢者については、希望者全員に対して66歳以上の継続雇用制度を導入している企業は33.4％、定年を66歳以上としている企業は2.4％、定年制の廃止は2.7％にとどまっている（図２）。2021年４月からは、70歳までの就業確保措置が努力義務化されており、雇用によらない措置も達成の選択肢となる。労働組合としては、労使協議を通じて、希望者すべてが「雇用されて就労」できる制度の構築と制度活用に資する環境整備に取り組むことが重要である。

　60歳以上の有職者を対象とした調査では、高年齢者がやりがい・働きがいを持って働き続けるために必要な配慮として「労働時間・日数」「賃金」「健康」「仕事内容」が上位を占めた（図３）。そうした観点から働く意欲につながる仕事の提供などを企業に求めていくことを通じて、希望者が年齢にかかわらずディーセント・ワークに就くことのできる社会の実現をめざす。

22 テレワーク導入に向けて労使で環境整備を

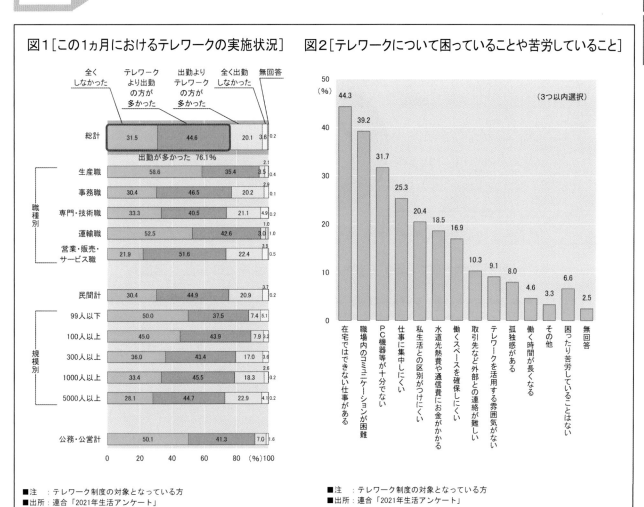

図1[この1ヵ月におけるテレワークの実施状況]　図2[テレワークについて困っていることや苦労していること]

■注　：テレワーク制度の対象となっている方
■出所：連合「2021年生活アンケート」

■注　：テレワーク制度の対象となっている方
■出所：連合「2021年生活アンケート」

III

現状と課題

　テレワークは本来、ライフステージやワーク・ライフ・バランスに応じた多様な働き方の一つに位置づけられるものだが、コロナ禍における社会的な密を回避する緊急避難的な方策として急速に広まった側面もあり、定着に向けた課題が少なくない。

　2021年6月に実施した連合「生活アンケート」によると、調査時点までの11ヵ月におけるテレワークの実施状況は、「全くしなかった」が3割、「テレワークより出勤の方が多かった」が4割強で、この両者をあわせた＜出勤が多かった＞が7割台半ばを占め（図1）、テレワークが定着したとは言い難い現状がうかがえる。

　また、テレワークについて困っていることや苦労していることを尋ねたところ、「在宅ではできない仕事がある」が44.3％で最も多く、以下「職場内のコミュニケーションが困難」が4割、「PC機器等、デスク・椅子などが十分でない」

が3割、「仕事に集中しにくい」「私生活との区別がつけにくい」「水道光熱費や通信費にお金がかかる」「働くスペースを確保しにくい」がいずれも2割前後となっている（図2）。業務が在宅勤務に馴染まないことや、コミュニケーションの問題、就業環境の整備・確保、費用負担などが、テレワーク実施上の課題といえる。今後、中長期的にテレワークを多様な働き方の一形態として導入する企業が増えていくものと考えられ、労使での課題解決が不可欠である。

　連合は2020年9月に「テレワーク導入に向けた労働組合の取り組み方針」を策定した。テレワークの導入にあたっては、取り組み方針に則り、労働諸条件の変更が使用者の一方的な取り決めとならないよう労使協定を締結し、さらに就業規則に規定するなど、労使によるルール策定が必要である。その上で、適宜・適切なタイミングでルールの見直しが求められる。

23 障がい者が安心して働ける環境整備

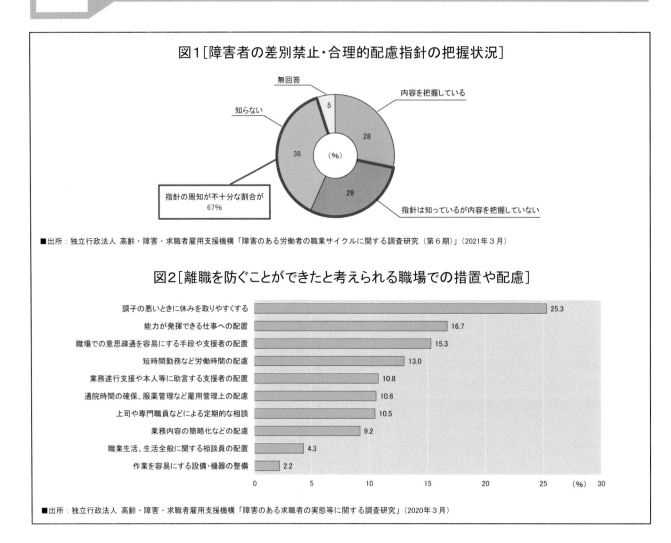

図1[障害者の差別禁止・合理的配慮指針の把握状況]

無回答 5
知らない 38
内容を把握している 28
指針は知っているが内容を把握していない 29
指針の周知が不十分な割合が 67%
(%)

■出所：独立行政法人 高齢・障害・求職者雇用支援機構「障害のある労働者の職業サイクルに関する調査研究（第６期）」（2021年３月）

図2[離職を防ぐことができたと考えられる職場での措置や配慮]

項目	%
調子の悪いときに休みを取りやすくする	25.3
能力が発揮できる仕事への配置	16.7
職場での意思疎通を容易にする手段や支援者の配置	15.3
短時間勤務など労働時間の配慮	13.0
業務遂行支援や本人等に助言する支援者の配置	10.8
通院時間の確保、服薬管理など雇用管理上の配慮	10.6
上司や専門職員などによる定期的な相談	10.5
業務内容の簡略化などの配慮	9.2
職業生活、生活全般に関する相談員の配置	4.3
作業を容易にする設備・機器の整備	2.2

■出所：独立行政法人 高齢・障害・求職者雇用支援機構「障害のある求職者の実態等に関する調査研究」（2020年３月）

　障害者雇用促進法が定める最低限雇用すべき障がい者の割合（法定雇用率）が2021年３月より0.1％引き上げられ、民間企業は2.3％、国・地方公共団体は2.6％、教育委員会は2.5％となった。また、民間企業のうち障がい者を雇用しなければならない事業主の範囲も、従業員45.5人以上から43.5人以上に拡大された。障害者雇用状況調査（2020年）では、実際に障がい者を雇用している割合は2.15％で徐々に上昇しているが、法定雇用率達成企業は48.5％にとどまる。

　ノーマライゼーションの理念にもとづき、就労を希望する障がい者の雇用を進めるにあたっては、障がいの種類や特性、程度などを考慮した就労環境整備が欠かせないため、障がい者への差別禁止・合理的配慮の実施の徹底が重要である。しかし、障害者の差別禁止・合理的配慮指針の把握状況に関する調査では、「指針は知っているが内容を把握していない」「知らない」と回答した割合が67％と、指針の周知に課題が残っている（図１）。

　また障がい者に「離職を防ぐことができたと考えられる職場での措置や配慮」を調査した結果、「調子の悪いときに休みを取りやすくする」「能力が発揮できる仕事への配置」「短時間勤務など労働時間の配慮」などが挙げられた（図２）。

　これらの実態を踏まえ、職場での差別禁止・合理的配慮の周知など、相互理解を深める取り組みを進めることが重要である。あわせて、法定雇用率の達成だけでなく、障がい者の就労ニーズを踏まえた業務支援機器の導入や支援員の配置などの職場環境整備や労働条件改善についても、労使協議・交渉の中で求めることが必要である。就労を希望する障がい者が安心して働くための環境整備に向け、労働組合が積極的に関与していくことが求められる。

24 ハラスメント対策は労組の取り組みがカギ

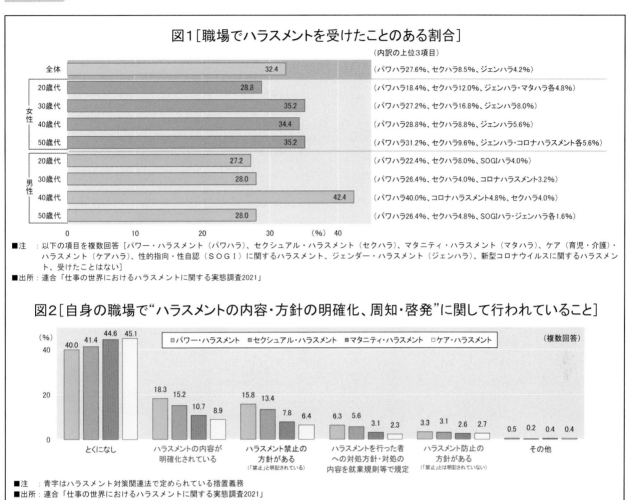

図1[職場でハラスメントを受けたことのある割合]

(内訳の上位3項目)

		割合	内訳の上位3項目
	全体	32.4	(パワハラ27.6%、セクハラ8.5%、ジェンハラ4.2%)
女性	20歳代	28.8	(パワハラ18.4%、セクハラ12.0%、ジェンハラ・マタハラ各4.8%)
	30歳代	35.2	(パワハラ27.2%、セクハラ16.8%、ジェンハラ8.0%)
	40歳代	34.4	(パワハラ28.8%、セクハラ8.8%、ジェンハラ5.6%)
	50歳代	35.2	(パワハラ31.2%、セクハラ9.6%、ジェンハラ・コロナハラスメント各5.6%)
男性	20歳代	27.2	(パワハラ22.4%、セクハラ8.0%、SOGIハラ4.0%)
	30歳代	28.0	(パワハラ26.4%、セクハラ4.0%、コロナハラスメント3.2%)
	40歳代	42.4	(パワハラ40.0%、コロナハラスメント4.8%、セクハラ4.0%)
	50歳代	28.0	(パワハラ26.4%、セクハラ4.8%、SOGIハラ・ジェンハラ各1.6%)

■注 ：以下の項目を複数回答［パワー・ハラスメント（パワハラ）、セクシュアル・ハラスメント（セクハラ）、マタニティ・ハラスメント（マタハラ）、ケア（育児・介護）・ハラスメント（ケアハラ）、性的指向・性自認（ＳＯＧＩ）に関するハラスメント、ジェンダー・ハラスメント（ジェンハラ）、新型コロナウイルスに関するハラスメント、受けたことはない］
■出所：連合「仕事の世界におけるハラスメントに関する実態調査2021」

図2[自身の職場で"ハラスメントの内容・方針の明確化、周知・啓発"に関して行われていること]

(複数回答)

凡例：■パワー・ハラスメント ■セクシュアル・ハラスメント ■マタニティ・ハラスメント □ケア・ハラスメント

	パワー	セクシュアル	マタニティ	ケア
とくになし	40.0	41.4	44.6	45.1
ハラスメントの内容が明確化されている	18.3	15.2	10.7	8.9
ハラスメント禁止の方針がある（「禁止」と明記されている）	15.8	13.4	7.8	6.4
ハラスメントを行った者への対処方針・対処の内容を就業規則等で規定	6.3	5.6	3.1	2.3
ハラスメント防止の方針がある（「禁止」とは明記されていない）	3.3	3.1	2.6	2.7
その他	0.5	0.2	0.4	0.4

■注 ：青字はハラスメント対策関連法で定められている措置義務
■出所：連合「仕事の世界におけるハラスメントに関する実態調査2021」

連合「仕事の世界におけるハラスメントに関する実態調査2021」によると、職場でハラスメントを「受けたことがある」人は32.4％（2019年調査37.5％）であった（図1）。受けたことのあるハラスメントについては、40歳代男性で「パワー・ハラスメント」（40.0％）、20歳代・30歳代女性で「セクシュアル・ハラスメント」（各12.0％、16.8％）が他の層と比べて高く、40歳代・50歳代女性で「ケア（育児・介護）・ハラスメント」（いずれも4.0％）、20歳代男性で「性的指向・性自認（ＳＯＧＩ）に関するハラスメント」（4.0％）が他の層と比べてやや高い。

ハラスメント対策関連法が2020年6月1日に施行され、事業主には、セクハラ、マタハラ、ケアハラに加えて、新たにパワハラに関する雇用管理上の措置（防止措置）を講ずることが義務付けられた（中小事業主は2022年3月31日まで努力義務）。しかし、連合調査によるとハラスメント対策関連法にもとづく職場の対策は低い実施率となっており、パワハラについて職場で内容・方針の明確化、周知・啓発が「とくになし」との回答が40.0％で、「セクハラを行った者への対処方針・対処内容を規定している」は5.6％にとどまっている（図2）。相談窓口について、非組合員を含む連合調査では、設置されていると答えた割合がパワハラで20.7％、セクハラで19.2％となっている一方、組合員を対象とした「連合鳥取ハラスメントに関する実態調査2021」では、被害に直面した人が対象であるものの認知割合が高くなっている（相談窓口がある77.5％、ない6.1％、わからない15.0％）。

ハラスメントは、被害者の人格等を侵害し、就業環境全体を悪化させる問題である。あらゆるハラスメントを根絶し、誰もが活き活きと働き続けられる就業環境に向けて、労働組合がこの問題に積極的に取り組むことが重要である。

25 育休取得促進に向けた職場の話し合いを

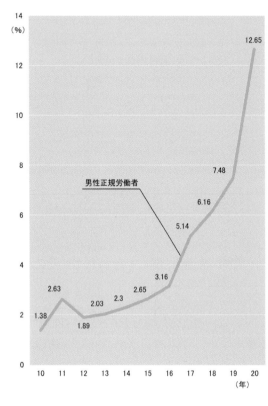

図1［男性育児休業取得率の推移］

■出所：厚生労働省「雇用均等基本調査」（2020年度）

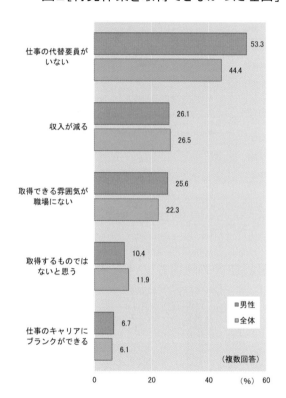

図2［育児休業を取得できなかった理由］

■出所：連合「男性の育児等家庭的責任に関する意識調査2020」

　育児・介護休業法は1992年に育児休業法として施行されて以降改正を重ねてきた。直近の改正は男性の育児休業取得促進を中心に、2022年4月1日から段階的に施行される。

　政府は男性の育児休業取得率を2025年には30％にすることを目標としている。2018年の6.16％に対し2019年は7.48％、2020年12.65％と、男性の取得は急増している（図1）。しかし、2020年の取得目標13％に届かなかったうえ、取得者の28％が5日未満の取得にとどまった。

　連合調査で育児休業を取得したことがない人になぜか尋ねたところ、「取得したかったが、取得できなかった」と回答した男性は31.6％で、その理由は、「仕事の代替要員がいない」（53.3％）、「収入が減る（所得保障が少ない）」（26.1％）であった（図2）。

　男性が仕事と家庭を両立させて育児を積極的に行えるようになればパートナーの育児負担が軽減され、育児のために離職することなく職場で活躍し続けることが可能となる。

　改正育児・介護休業法は3段階で施行されるが、2022年4月からは、本人または配偶者の妊娠・出産の申し出をした者に対し制度の周知と取得意向の確認が義務付けられるとともに、有期契約労働者の子が1歳半に達するまでに契約の終了が明らかでない場合にも育児休業が適用される。男女がともに仕事と育児等を両立できる環境整備に向けて、性別役割分担意識の払拭をはじめ、ハラスメント防止措置の徹底と長時間労働是正など、働き方の見直しが必要である。

　2022年10月には第2段階で新たな仕組みの出生時育児休業（産後パパ育休）が施行される。労使の早めの話し合いによって、改正内容に沿った分かりやすく取得しやすい社内制度の整備と、社内全体で互いに理解し支え合って協力する雰囲気醸成で、職場環境の改善につなげたい。

26 賃金実態の把握から始める規模間格差の是正

図 [高卒標準労働者　所定内賃金水準の推移とピークとの差]

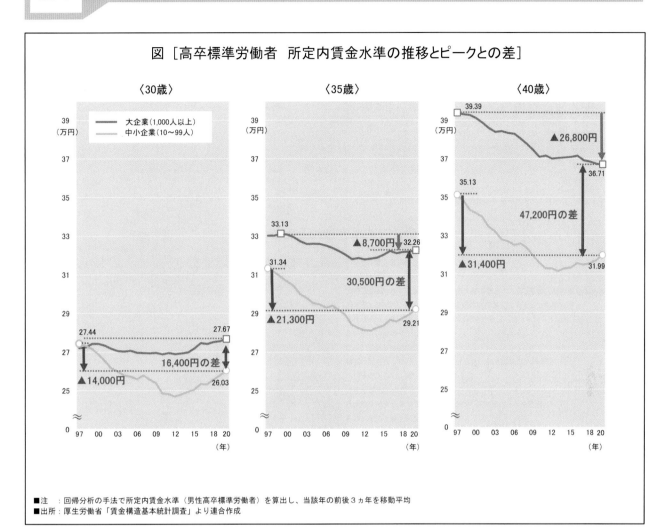

■注　：回帰分析の手法で所定内賃金水準（男性高卒標準労働者）を算出し、当該年の前後３ヵ年を移動平均
■出所：厚生労働省「賃金構造基本統計調査」より連合作成

III
現状と課題

　賃金水準の企業規模間格差は日本の労働運動の長年の課題であり、その是正には賃金実態の把握が欠かせない。

　大企業と中小企業の高卒標準労働者の所定内賃金水準の差は、直近で把握できる2020年では30歳で16,400円、35歳で30,500円、40歳では47,200円であった。2014年頃から縮小傾向にあるものの、企業規模間格差は依然として是正されていない。また、日本の賃金水準がピークであった1997年以降、年齢別・企業規模別に賃金水準の推移を見ると、年齢が高いほど、また規模が小さいほど、下落幅が大きくなっていることが見て取れる（図）。

　規模間格差の要因には、企業の業績や体力に加えて、労働組合による賃金実態把握の有無や定昇制度の有無が挙げられる。連合「2020年度労働条件等の点検に関する調査（全単組調査）」によれば、「賃金カーブ維持＋賃金改善」の割合

は、「定昇制度あり」の場合、組合による賃金実態把握の有無で9.1ポイント（有81.4％と無72.3％）の差がつき、「定昇制度なし」でも1.4ポイント（有49.7％と無48.3％）の違いがあることから、賃金実態の把握は賃金カーブの維持や賃金の改善に有効であることが分かる。自社の賃金実態を把握し、同地域・同産業の賃金実態と比較したデータは、説得力のある賃上げ要求の根拠になり得る。

　連合は、地域・産業の賃金相場の形成に向けて、組合員の賃金データを収集・分析し、参画した労働組合にフィードバックする「地域ミニマム運動」を1995年から展開している。データ数は年々増加し、2020年調査では60万件を超えた。「地域ミニマム運動」を含め、各組合が自らの賃金実態を把握する取り組みを行うことが企業規模間格差の是正に向けた第一歩になる。

27 働き方も含めた取引の適正化を実現しよう

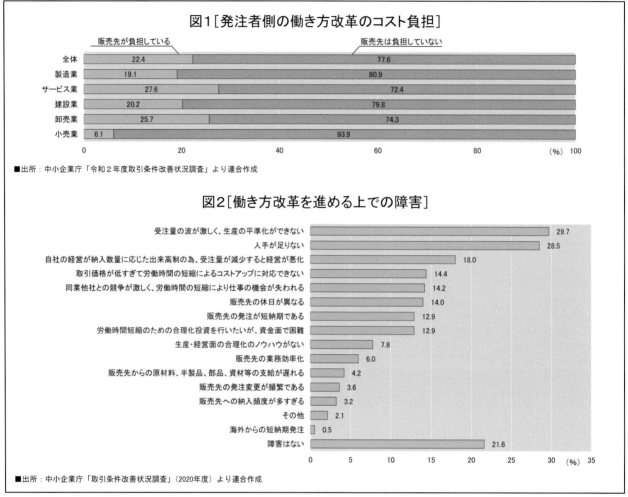

図1［発注者側の働き方改革のコスト負担］

	販売先が負担している	販売先は負担していない
全体	22.4	77.6
製造業	19.1	80.9
サービス業	27.6	72.4
建設業	20.2	79.8
卸売業	25.7	74.3
小売業	6.1	93.9

■出所：中小企業庁「令和2年度取引条件改善状況調査」より連合作成

図2［働き方改革を進める上での障害］

	(%)
受注量の波が激しく、生産の平準化ができない	29.7
人手が足りない	28.5
自社の経営が納入数量に応じた出来高制の為、受注量が減少すると経営が悪化	18.0
取引価格が低すぎて労働時間の短縮によるコストアップに対応できない	14.4
同業他社との競争が激しく、労働時間の短縮により仕事の機会が失われる	14.2
販売先の休日が異なる	14.0
販売先の発注が短納期である	12.9
労働時間短縮のための合理化投資を行いたいが、資金面で困難	12.9
生産・経営面の合理化のノウハウがない	7.8
販売先の業務効率化	6.0
販売先からの原材料、半製品、部品、資材等の支給が遅れる	4.2
販売先の発注変更が頻繁である	3.6
販売先への納入頻度が多すぎる	3.2
その他	2.1
海外からの短納期発注	0.5
障害はない	21.6

■出所：中小企業庁「取引条件改善状況調査」（2020年度）より連合作成

取引の適正化は、中小企業が利益を確保し、賃金や労働条件を向上させ、働き方の改善を進めるために不可欠である。年次有給休暇の取得義務や時間外労働の上限規制など「働き方改革関連法」は、中小企業にも適用されている。

働き方も含めた取引の適正化の実現に向けて、職種別の「下請適正取引等推進のためのガイドライン」や「自主行動ガイドライン」の策定が進められているが、中小企業庁「2020年度取引条件改善状況調査」によると、発注側事業者の働き方改革により発生した負担（コスト）を発注側自身が負担しているか否かについて、受注側の77.6％が「負担していない」と回答した（図1）。また働き方改革を進める上で障害となるものについて、「受注量の波が激しく、生産の平準化ができない」「人手が足りない」の回答が多く、「障害はない」と回答した割合は2割強にすぎない（図2）。

こうした状況を踏まえ、国は毎年11月を「しわ寄せ」防止キャンペーン月間と位置づけ、「親事業者は、下請事業者の『働き方改革』を阻害する不利益となるような取引や要請は行わない」などの周知・啓発に取り組んでいる。さらに、新型コロナウイルス感染症の拡大防止やそれに伴う需要減少等を理由とした親事業者の受領拒否や買いたたきなどを抑制するため、「新型コロナウイルス感染症拡大に関連する下請取引Q＆A」も作成されている。

連合は、春季生活闘争を通じて、働き方も含めた「サプライチェーン全体で生み出した付加価値の適正分配」に取り組む。政府が進める「パートナーシップ構築宣言」の取り組みを広げ、生きがい・働きがいを通じて豊かに働くことのできる社会の実現をめざし、すべての働く者の処遇改善につながる取り組みを展開する。

28 均等・均衡の取り組み促進による格差是正

図1［正社員組合員と有期・短時間・契約等労働者の賃上げ率比較］

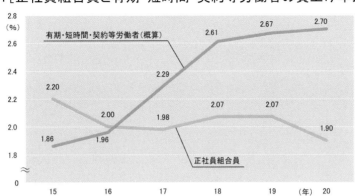

有期・短時間・契約等労働者（概算）: 2.20（15）、2.00（16）、1.98（17）、2.29（18?）... 2.29、2.61、2.67、2.70

正社員組合員: 1.86、1.96、1.98?、2.07、2.07、1.90

■注 ：各年6月末時点
■出所：連合「春季生活闘争最終回答結果」（2015年～2020年）

図2［無期転換など雇用安定の取り組み］

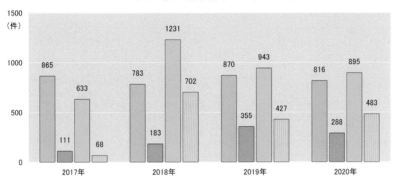

- 正社員への転換ルールの整備と運用状況点検 要求
- 正社員への転換ルールの整備と運用状況点検 回答・妥結
- 無期労働契約への転換促進および無期転換ルール回避目的の雇止め防止と当該労働者への周知徹底 要求
- 無期労働契約への転換促進および無期転換ルール回避目的の雇止め防止と当該労働者への周知徹底 回答・妥結

2017年: 865、111、633、68
2018年: 783、183、1231、702
2019年: 870、355、943、427
2020年: 816、288、895、483

■出所：連合「労働条件に関する春季生活闘争および通年の各種取り組み」（2017年～2020年）

2020年4月より、通常の労働者とパート、有期雇用、派遣で働く労働者との不合理な待遇格差を禁止する「同一労働同一賃金」の法規定が全面的に施行されている。

連合は、以前から雇用形態間の不合理な待遇間格差是正に取り組んできた。特に2017春季生活闘争で同一労働同一賃金の法整備を先取りした取り組みを開始して以降、パート・有期雇用等労働者の時給の賃上げ率は正社員を上回っている（図1）。すべての労働組合は、この取り組みを維持し、法の職場への定着・促進を含め、待遇全般の処遇改善を着実に進めていかなければならない。

また、派遣労働者と派遣先正社員との均等・均衡待遇実現に向けては、派遣法の原則が派遣先均等・均衡方式であることに留意するとともに、コロナ禍以降急速に導入が進んだ在宅勤務やサテライトオフィス勤務などのテレワーク勤務制度の適用も含めた「あらゆる待遇」が対象になることに注意しなければならない。その上で、待遇への納得性を高めるためにも、派遣元・派遣先労働組合は、賃金のみならず、福利厚生施設の利用、教育訓練の実施なども含めて均等・均衡待遇が実現されているか、春季生活闘争を通じて改めて点検・確認し、同じ職場で働く派遣労働者の処遇改善に取り組む必要がある。

加えて、法を上回る取り組みとして、無期転換労働者の同一労働同一賃金に関する取り組みについても着実に実行していくことが必要である。これまで労働組合として正社員への転換ルールの整備、運用改善や無期転換の促進などを進めてきたが（図2）、この取り組みを一層促進していかなければならない。

連合は、すべての労働者のあらゆる待遇間格差是正に向けて、職場における法の周知徹底のみならず、法を上回る取り組みを推進していく。

29 男女間賃金格差を是正しジェンダー平等実現を

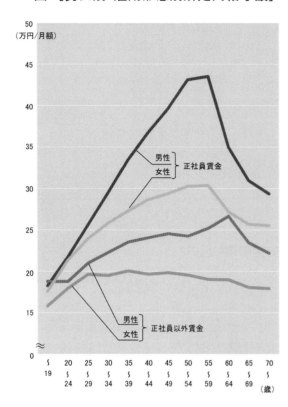

図1［男女別・雇用形態別所定内給与額］

■出所：厚生労働省「賃金構造基本統計調査」（2020年）

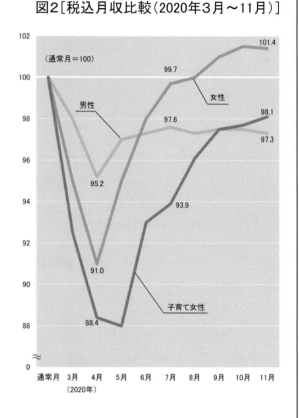

図2［税込月収比較（2020年3月〜11月）］

■注 ：「通常月」の月収は、JILPTの連続パネル個人調査の回答者が、回答時にそれぞれ設定した新型コロナウイルス感染症の問題が発生する以前の額
■出所：JILPT「新型コロナウイルス感染拡大の仕事や生活への影響に関する調査」

　新型コロナウイルス感染症の流行は、従前から日本社会に存在していた男女間賃金格差をより拡大させ、さらに固定化させる方向に作用している。厚生労働省「賃金構造基本統計調査」（2020年）によれば、年齢階級別の所定内給与の平均額を男女の別で見た場合、すべての年代で男性が女性を上回っている。これを正規雇用で働いているかそれ以外の雇用形態で働いているかの別で見た場合、19歳以下を除くすべての年齢階級において、男性・正規雇用、女性・正規雇用、男性・正規雇用以外、女性・正規雇用以外の順で給与額が低くなっていく（図1）。男性に比べて女性、正規雇用に比べてそれ以外の雇用形態でより所定内給与が低く抑えられる傾向があり、特に40歳代前半から50歳代後半にかけては男性・女性、正規雇用・それ以外のそれぞれの差が大きくなっている。
　ＪＩＬＰＴの調査によれば、2020年4月にか

けて女性は男性に比べて月収が大幅に落ち込み、特に子育てをしている女性の月収の沈みが大きく、10月以降は男性を上回る回復を見せたものの、回復傾向に転じたのは最も遅かった（図2）。こうした収入減は家計を圧迫し、特に子育て中の女性の生活苦や貧困化のリスクを高めかねず、社会的格差の拡大や固定化につながる可能性がある。
　コロナ禍は女性の占める割合が大きい非正規雇用の不安定さや、そうした雇用形態の違いによって生ずる男女間賃金格差の深刻さを改めて浮き彫りにした。職場での男女間賃金格差の是正の取り組みは、社会におけるジェンダー平等を実現する上でも極めて重要な課題である。労働組合がすべての働く労働者の賃金実態把握を通じて、格差を生み出し、拡大し、固定化させる要因を明らかにした上で、それを改善する取り組みをより一層、推進する必要がある。

30 最低賃金の引き上げと賃上げは密接不可分

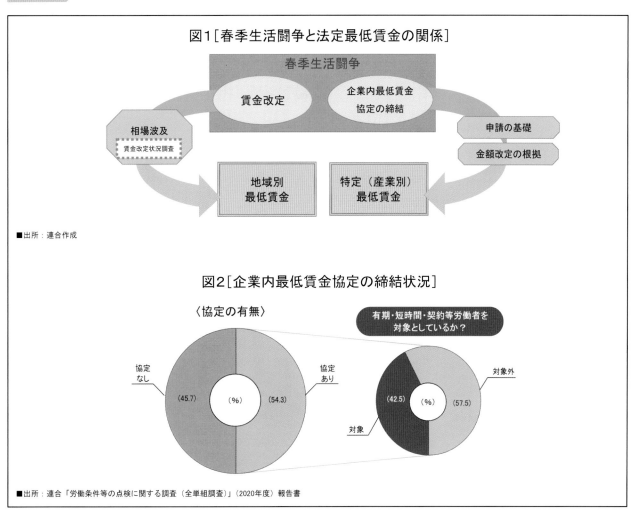

図1[春季生活闘争と法定最低賃金の関係]

春季生活闘争

賃金改定

企業内最低賃金協定の締結

相場波及
賃金改定状況調査

申請の基礎

金額改定の根拠

地域別最低賃金

特定（産業別）最低賃金

■出所：連合作成

図2[企業内最低賃金協定の締結状況]

〈協定の有無〉

協定なし (45.7)　(%)　協定あり (54.3)

有期・短時間・契約等労働者を対象としているか？

対象 (42.5)　(%)　対象外 (57.5)

■出所：連合「労働条件等の点検に関する調査（全単組調査）」（2020年度）報告書

近年、世間の大きな関心を集める最低賃金。この最低賃金と春季生活闘争の賃上げ等の取り組みは密接不可分と言っても過言ではない。

法律上、最低賃金は「地域別最低賃金」と「特定（産業別）最低賃金」の2つに大別される。第1に、原則すべての労働者に適用される「地域別最低賃金」は、2021年度に平均で28円引き上げられ、全国加重平均930円となった。しかし、時給930円では年間2000時間働いても「ワーキング・プア」の水準とされる年収200万円にも満たず、憲法第25条が保障する「健康で文化的な最低限度の生活を営む」ことは不可能である。「地域別最低賃金」の引き上げにあたっては、春季生活闘争で獲得した組織労働者の賃上げ状況が考慮要素の1つとなる。「地域別最低賃金」をナショナルミニマムにふさわしい水準へ引き上げるためには、春季生活闘争における賃上げの取り組みが必要不可欠である。

第2に、特定の産業の「基幹的労働者」に適用される「特定（産業別）最低賃金」である。「特定（産業別）最低賃金」の設定や引き上げの申出には対象企業の企業内最低賃金協定を添付する必要があるが、図2のとおり、連合加盟組合の企業内最低賃金協定の締結割合は54.3％にとどまる。また、「特定（産業別）最低賃金」の上限は、申出に添付した協定の最低額となることから、十分な水準での協定締結が必要となる。連合は、2022春季生活闘争において、企業内のすべての労働者を対象とした協定を締結し、締結水準は「時給1,150円以上」をめざすことを掲げた。企業内最低賃金は、職場で働く仲間の労働条件を「底支え」するのみならず、産業・企業の存続と発展の基盤を築くものである。この重みを認識し、労働組合は社会的責任として企業内最低賃金協定の締結と協定額の引き上げに取り組む必要がある。

31 介護人材の確保に向けて一層の処遇改善を

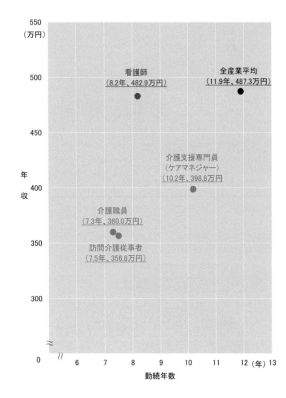

図1[介護職種の平均勤続年数と平均年収]

看護師
(8.2年、482.9万円)

全産業平均
(11.9年、487.3万円)

介護支援専門員
(ケアマネジャー)
(10.2年、398.8万円)

介護職員
(7.3年、360.0万円)

訪問介護従事者
(7.5年、356.8万円)

年収(万円)／勤続年数(年)

■注 ：計算方法：きまって支給する現金給与額×12ヵ月＋年間賞与その他特別給与額
■出所：厚生労働省「賃金構造基本統計調査結果」(2020年)より連合作成

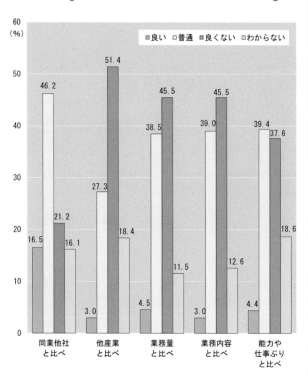

図2［勤務先事業所の賃金は他産業と比較した場合に「良くない」］

凡例：良い／普通／良くない／わからない

同業他社と比べ：16.5／46.2／21.2／16.1
他産業と比べ：3.0／27.3／51.4／18.4
業務量と比べ：4.5／38.5／45.5／11.5
業務内容と比べ：3.0／39.0／45.5／12.6
能力や仕事ぶりと比べ：4.4／39.4／37.6／18.6

■出所：連合「新型コロナウイルス感染拡大下の介護現場実態調査」(2020年)

　将来にわたり質の高い介護保険サービスを利用できるようにするためには、人材の確保が不可欠である。政府は、高齢者数が約3,900万人となる2040年度には約280万人の介護職員が必要となると見込んでいる。2019年実績で約211万人の介護職員を、計算上、毎年約3.3万人ずつ増やしていく必要がある。

　現場で働く介護職員は命と健康に関わる仕事に従事しており、肉体的・精神的な負担が重くのしかかっている。政府は、この10年間に月額平均約7.5万円の賃金改善を行ってきたとしているが、介護職員の賃金は全産業平均を約130万円下回っている（図1）。

　2020年の連合調査で、勤務先事業所の問題点（複数回答）は「人手が足りない」が1位で、「身体的・精神的負担が大きい」「仕事量が多い」「賃金が低い」と続いた。また、賃金については、他産業・業務量・業務内容と比べ「良くな

い」とする回答がいずれも最多であった（図2）。

　連合はこうした介護職場の実態を審議会などで訴えてきた。しかし、2021年度の介護報酬改定は0.7％引き上げとなったものの、さらなる介護職員の処遇改善は見送られた。

　岸田内閣は、介護などの分野で働く労働者の所得向上のために、公定価格のあり方を抜本的に見直すとしている。その実施にあたっては、介護職員処遇改善加算等の引き上げや給付対象者の拡充などを行うとともに、介護従事者の賃金を確実に改善できる仕組みの検討が求められる。加えて、介護職員の負担軽減をはかるため、ロボット・AI・ICTの活用を進めるための支援制度の拡充も求められる。

　労働組合は介護職場の組織化を進め、労使交渉を通じてさらなる処遇改善やハラスメント対策などに取り組み、人材の定着に努める必要がある。

32 保育士等の処遇改善で子ども・子育て支援の充実を

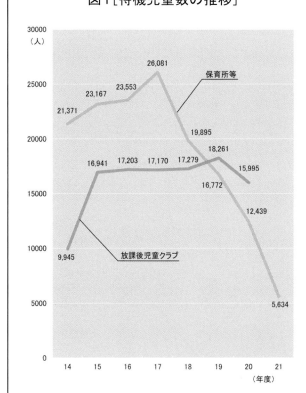

図1［待機児童数の推移］

■出所：厚生労働省「保育所等関連状況取りまとめ」（2021年4月）、
　　　　「放課後児童健全育成事業（放課後児童クラブ）の実施状況」（2020年7月）
　　　　より連合作成

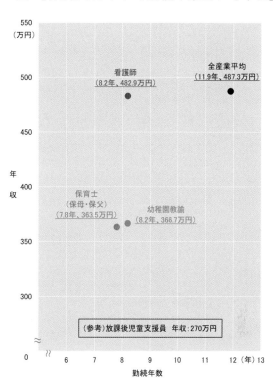

図2［保育人材の平均勤続年数と平均年収］

■注　：計算方法：きまって支給する現金給与額×12ヵ月＋年間賞与その他特別給与額
■出所：厚生労働省「賃金構造基本統計調査結果」（2020年）、内閣府「放課後児童健全
　　　　育成事業（放課後児童クラブ）に係る実施調査」（2020年）より連合作成

　保育所等や放課後児童クラブの待機児童数は、近年減少傾向が見られるものの、それぞれ5,634人（2021年4月）、15,995人（2020年7月）に上る（図1）。これらの人数に含まれていない潜在的待機児童もおり、都市部を中心に保育の受け皿整備は需要の増加に追いついていない。

　政府は保育所について、「子育て安心プラン」（2017年）で、2018～20年度末に32万人分の受け皿を整備するとし、約7.7万人の保育士が新たに必要になると見積もった。「新子育て安心プラン」（2020年）では、2021～24年度末までに追加で約14万人分の受け皿を整備するとしており、保育士確保は喫緊の課題である。

　また、放課後児童クラブについては「新・放課後子ども総合プラン」（2018年）で、2019～23年度末に30万人分の受け皿整備をするとし、約1.5万人の支援員が必要になると見込んでいる。

　その一方で、保育人材の確保は難航している。

東京都の調べによると、保育士の退職理由は「職場の人間関係」（33.5％）に次いで、「給料が安い」（29.2％）が挙げられている。保育士の年収は全産業平均と比べ約112万円、放課後児童支援員は約217万円低く、人材確保のためにさらなる処遇改善が求められている（図2）。

　さらに国は、待機児童がいる自治体について常勤保育士の配置を必須としない規制緩和を行った。保育の質の向上や業務負担の軽減のためには、職員の配置基準の改善が不可欠である。

　処遇改善や保育人材の増員には財源が必要となるが、子ども・子育て支援に関する2021年度政府予算は、社会保障と税の一体改革において保育の質の向上のために必要とされた1兆円超にはほど遠い約7,000億円にとどまっている。

　働きながら安心して子育てができるよう、処遇改善を通じた保育人材の確保による保育の質の向上に必要な、安定財源の確保が急務である。

33 看護職員の人材確保に向けて勤務環境改善を

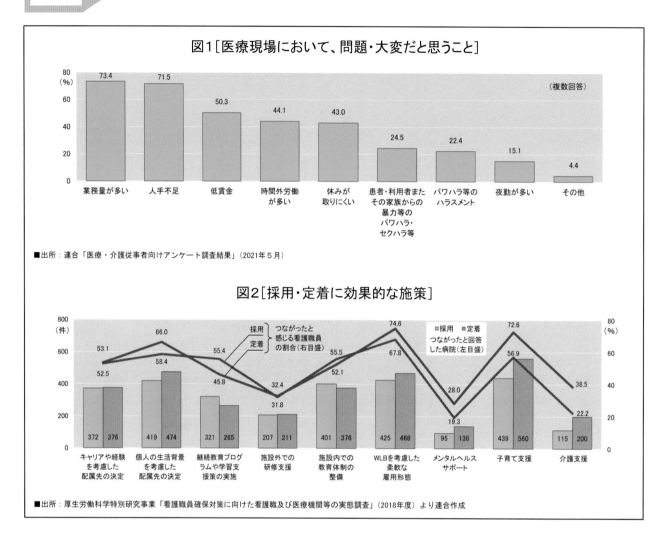

図1[医療現場において、問題・大変だと思うこと]

（複数回答）

項目	%
業務量が多い	73.4
人手不足	71.5
低賃金	50.3
時間外労働が多い	44.1
休みが取りにくい	43.0
患者・利用者またその家族からの暴力等のパワハラ・セクハラ等	24.5
パワハラ等のハラスメント	22.4
夜勤が多い	15.1
その他	4.4

■出所：連合「医療・介護従事者向けアンケート調査結果」（2021年5月）

図2[採用・定着に効果的な施策]

つながったと感じる看護職員の割合（右目盛）／つながったと回答した病院（左目盛）

施策	採用(件)	定着(件)	採用%	定着%
キャリアや経験を考慮した配属先の決定	372	376	53.1	52.5
個人の生活背景を考慮した配属先の決定	419	474	66.0	58.4
継続教育プログラムや学習支援策の実施	321	265	55.4	45.8
施設外での研修支援	207	211	32.4	31.8
施設内での教育体制の整備	401	376	55.5	52.1
WLBを考慮した柔軟な雇用形態	425	468	74.6	67.8
メンタルヘルスサポート	95	138	28.0	19.3
子育て支援	439	560	72.6	56.9
介護支援	115	200	38.5	22.2

■出所：厚生労働科学特別研究事業「看護職員確保対策に向けた看護職及び医療機関等の実態調査」（2018年度）より連合作成

　安心・安全で質の高い医療を担保するためには、病床や医薬品などの確保に加え、人材の確保が不可欠である。連合の調査では、新型コロナウイルス感染症の感染拡大以前から医療従事者が問題・大変だと思うことは「業務量が多い」（73.4％）、「人手不足」（71.5％）という回答が突出して多かった（図1）。また、新型コロナウイルス感染症の感染拡大で、「感染防御の対応で負担が増えた」（71.1％）、「業務量が増えた」（54.2％）と回答した割合が高いことから、疲弊した医療現場の様子がうかがえる。

　急性期医療を含め医療偏在の是正が求められているとともに、高齢化の進展に伴う医療需要の増加により、看護ニーズは拡大している。看護職員は2016年の就業者数約166万人に対し、2025年には約188〜202万人必要になると推計されているが、同年の供給数見込みは175〜182万人程度にとどまっている。

　看護職員の約9割を女性が占める。もともと育児や介護などの家庭責任が偏りがちなところに、夜勤・交代制勤務が負担となり、就業の継続を難しくしている現実がある。看護職員の定着には、「ワーク・ライフ・バランスを考慮した柔軟な雇用形態」「子育て支援」「個人の生活背景を考慮した配属先の決定」が特に効果的であることが、病院・看護職員双方の回答に示されている（図2）。経験年数に応じて着実にキャリアアップできる仕組みの構築も重要である。

　今後、医師の長時間労働是正に伴うタスク・シェアリング／タスク・シフティングの推進により、看護職員の果たす役割が増す一方、負担の増加も懸念される。看護職員が働き続けやすく、より誇りを感じられる職場環境づくりとともに、命を預かる働きに見合った処遇への改善や人材確保施策の強化を進めることは、安心の医療の確立のための喫緊の課題である。

34 集団的労使関係の輪を広げて働く仲間をまもる

図1[連合登録人員の推移]

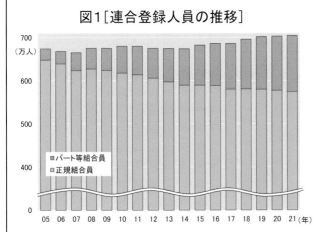

■注 ：パート等組合員とは、パートタイム労働者として働く組合員。パートタイム労働者とは、正社員・正職員以外で、その事業所の一般労働者より1日の所定労働時間が短い労働者、1日の所定労働時間が同じであっても1週の所定労働日数が少ない労働者またはパートタイマー、パート等と呼ばれている労働者をいう（労働組合基礎調査より）。パート等組合員については2005年より調査開始
■出所：厚生労働省「労働組合基礎調査」より連合作成

図2[労働組合によるチェック・提言機能の発揮]

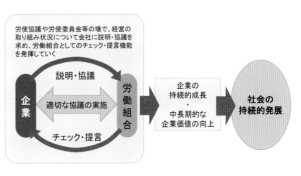

■出所：連合作成

図3[地域の中小・地場企業や経営者団体・業界団体への対話活動]

これまで地方連合会が積み上げてきた、地域フォーラムの開催、諸団体との意見交換、各種要請行動の実施、「産・官・学・金・労・言」の幅広い関係者や市民とのつながりの活動を、地域ごとの「笑顔と元気のプラットフォーム」として取り組みを推進

地域活性化　社会の好循環

笑顔と元気のサイクル

■出所：連合作成

連合は、労働組合を組織して集団的労使関係を構築していくことを運動の第一義として、「子会社・関連会社、取引先企業の組織化」「未組織企業の組織化」などに重点を置いて取り組んでいる。2019年に700万人を回復した連合登録人員は2021年には704万人となり、さらに増加傾向にある（図1）。

集団的労使関係がない職場では、雇用や賃金・労働時間等の労働条件、さらにはハラスメントなど、働く現場をとりまく課題が見過ごされやすい。こうした課題を会社（雇う側）と対等な立場で交渉し解決をはかるためには、労働組合を組織し、集団的労使関係を構築することが最も有効である。

また、企業に社会的責任やＥＳＧ（環境・社会・統治）対応が求められるようになり、法令遵守の徹底や企業統治強化の必要性はますます高まっている。企業の持続的成長や企業価値向上のために、また雇用の安定と労働条件の維持・向上のためには、親会社だけでなく子会社・関連会社を含めて、持続可能な集団的労使関係を前提とした労働組合が、働く者の立場から企業経営をチェックし提言機能を発揮していくことが極めて重要である（図2）。

「働くことを軸とする安心社会」の実現をめざすためには、地域においても、集団的労使関係の輪を拡大していくことが必要である。連合は、地域の中小・地場企業や経営者団体・業界団体などと「笑顔と元気のプラットフォーム」を通じて連携を深めることで、労働組合の必要性を説き、組織拡大へとつなげていく取り組みを推進していく（図3）。

加えて、春季生活闘争と連動させて、集団的労使関係の意義について理解を広げるとともに、その輪を広げて働く仲間をまもるために、社会へ広がりのある運動を推進する。

35 働く人すべての処遇改善に向け職場から始めよう

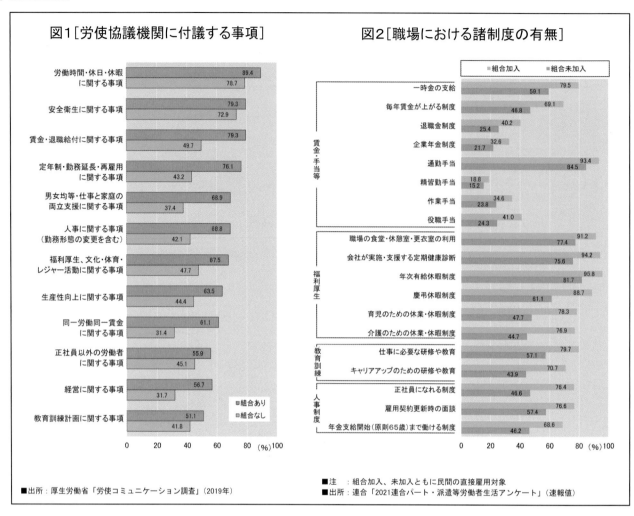

図1[労使協議機関に付議する事項]

図2[職場における諸制度の有無]

■出所：厚生労働省「労使コミュニケーション調査」（2019年）

■注 ：組合加入、未加入ともに民間の直接雇用対象
■出所：連合「2021連合パート・派遣等労働者生活アンケート」（速報値）

　連合は、すべての働く人の処遇改善に向けて、2010年から「職場から始めよう運動」を展開している。これは、パート・有期・派遣など、雇用形態にかかわらず、同じ職場で働く仲間が抱える問題を自らの課題としてとらえ、その改善のために何ができるかを真剣に受け止め、具体的なアクションにつなげる運動である。

　厚生労働省2019年「労使コミュニケーション調査」によると、職場の課題について労使協議機関に付議する割合は、すべての事項で労働組合のある職場の方が高い。「定年制・勤務延長・再雇用に関する事項」「男女均等・仕事と家庭の両立支援に関する事項」「同一労働同一賃金に関する事項」では約30％も差があり、労使が活発に話し合っていることが分かる（図1）。

　また連合「2021年パート・派遣等労働者生活アンケート」速報値にて、パートや有期などで働く労働者に「職場における諸制度の有無」を聞いたところ、組合加入者の方が「制度がある」と回答した割合が高い。特に「介護のための休業制度」「育児のための休業制度」「正社員になれる制度」では30％前後の開きがあり、安心して働き続けるための制度構築に労働組合の存在が一役買っていることは明らかである（図2）。

　一方で、厚生労働省2020年「労使間の交渉等に関する実態調査」によると、正社員以外の労働者に「組合加入資格がない」と労働組合が答えたのは、パートタイム労働者で61.8％、有期契約労働者58.1％であり、正社員以外の労働者を含めた仲間づくりは十分とは言えない。

　連合は、同じ職場で働くすべての人が連帯し安心して働き続けられる職場の実現に向けて、組合結成・加入の取り組みを推進している。労働組合は、雇用形態の違いにかかわらず、職場で働くすべての人の声に耳を傾け、組合加入とともに処遇改善に向けた取り組みを始めよう。

36 公務員労働基本権の早急な回復を

図1［日本の公務員（一般職）の労働基本権］

区分		団結権	団体交渉権		争議権
				協約締結権	
国	非現業職員	○	△ (注1)	×	×
	自衛隊員、警察職員、海上保安庁職員、刑事施設職員	×	×	×	×
	行政執行法人職員	○	○	○	×
地方	非現業職員	○	△ (注1)	× (注2)	×
	警察職員、消防職員	×	×	×	×
	現業職員、公営企業職員	○	○	○	×
民　間		○	○	○	○

■注 ： ○＝保障されている　　×＝保障されていない
　注1）交渉を行うことはできるが、団体協約は締結できない
　注2）交渉を行い、その結果として書面による協定を結ぶことができるが、この協定は拘束力を持たない
　「国家公務員法等の一部を改正する法律」の成立（2014年4月11日）に際しては、衆参両院の内閣委員会において、自律的労使関係について職員団体と所要の意見交換を行いつつ、合意形成に努める旨の附帯決議が行われている
■出所：連合作成

図2［国際労働機関（ILO）第87号・第98号条約］

◎第87号　結社の自由及び団結権保護条約（1948年）
　すべての労働者及び使用者に対し、事前の許可を受けることなしに、自ら選択する団体を設立し、加入する権利を定めるとともに、団体が公の機関の干渉を受けずに自由に機能するための一連の保障を規定する。
◎第98号　団結権及び団体交渉権条約（1949年）
　反組合的な差別待遇からの保護、労使団体の相互干渉行為からの保護、団体交渉奨励措置を規定する。

労働基本権は憲法が保障する労働者の権利であるが、公務員においては労働基本権の一部が制約され（図1）、その代償措置として人事院による給与などに関する勧告制度が運用されている。しかし、こうした日本の状況は国際労働基準から逸脱しており、国際労働機関（ILO）から2002年以降、繰り返し第87号・第98号条約（図2）の違反を指摘され、条約の着実な履行を勧告されている（2018年で11度目）。加えて、2018年にはILO総会の基準適用委員会で日本の状況が個別審査され、本問題に対する強い懸念が改めて示された。

この間、民主党（当時）政権下では、「国民の理解のもとに、国民に開かれた自律的労使関係制度を措置する」とした国家公務員制度改革基本法（2008年成立）に則った改革法案が国会に提出されるなど、「民主的な公務員制度改革」実現への機運が高まった。しかし、2012年12月以降の自公政権下では、現時点においても真摯な議論が行われず、民主的な公務員制度改革の実現には至っていない。

また、臨時・非常勤職員の処遇改善に向けた「会計年度任用職員制度」が2020年4月にスタートしたが、期待された待遇改善につながらないケースも一部に見られる。このため、同一労働同一賃金など均等・均衡待遇原則にもとづく正職員と非常勤職員などとの待遇格差是正、任用の適正化など諸課題の解決が求められている。

国民のニーズに応え、良質な公共サービスを維持し続けるためにも、公務員の労働基本権を回復し、労使が責任を持って労働諸条件や行財政運営を話し合える自律的労使関係制度を確立することが重要である。連合は、公務労働者の権利と生活を守り、国民本位の公務員制度改革の早期実現に向けて、関係する組織と連携して取り組みを進めていく。

37 フリーランスとWor-Q（ワーク）でつながる連合ネットワーク会員

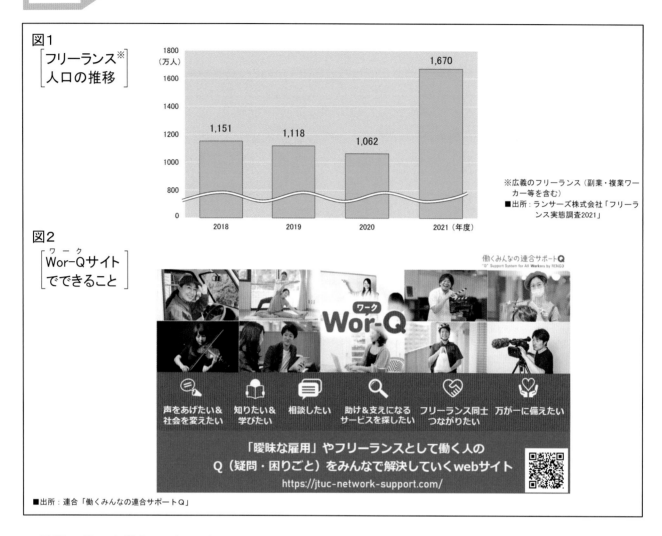

図1
［フリーランス※
人口の推移］

（万人）

1,670

1,151　1,118　1,062

2018　2019　2020　2021（年度）

※広義のフリーランス（副業・複業ワーカー等を含む）
■出所：ランサーズ株式会社「フリーランス実態調査2021」

図2
［Wor-Q（ワーク）サイト
でできること］

働くみんなの連合サポートQ
"Q" Support System for All Workers by RENGO

Wor-Q（ワーク）

声をあげたい＆社会を変えたい　知りたい＆学びたい　相談したい　助け＆支えになるサービスを探したい　フリーランス同士つながりたい　万が一に備えたい

「曖昧な雇用」やフリーランスとして働く人の
Q（疑問・困りごと）をみんなで解決していくwebサイト
https://jtuc-network-support.com/

■出所：連合「働くみんなの連合サポートQ」

就業形態の多様化、プラットフォームエコノミーの台頭等により、フリーランスをはじめとする、いわゆる「曖昧な雇用」で働く人たちが急増している（図1）。業務委託・請負についても、企業から直接受託したり請負う形ではなく、仲介事業者を通じた仕事の受注と報酬受領が急速に広まった。「曖昧な雇用」で働く就業者の急増により、使用従属性によって労働者性を判断し適用する従来の労働関係法令では保護の対象とならない事例が増えている。追い打ちをかけるように、新型コロナウイルス感染拡大が「曖昧な雇用」の脆弱性を顕在化させた。

連合では、「曖昧な雇用」で働く就業者を「まもる」「つなぐ」、そして新たな仲間を「創り出す」ため、法的保護の拡充と運動の強化に取り組んでいる。2020年10月に、特にフリーランスをはじめとする「曖昧な雇用」で働く人たちと連合とが緩やかに繋がる「連合ネットワーク会員」制度を新設した。フリーランス課題解決ウェブサイト「働くみんなの連合サポートQ（愛称 Wor-Q（ワーク））」（図2）から会員登録する仕組みで、このサイトにはフリーランスの人々の声を集めるオピニオンBOXや、困りごと・疑問・悩みにこたえるWebマガジン、弁護士相談サポート機能や、福利厚生クーポンの発行、さらにフリーランス同士がつながるためのコミュニティを設置している。2021年10月に、フリーランスのための「Wor-Q（ワーク）共済」をスタートした。病気やケガで働けなくなったときの所得補償や賠償事故のサポート、病気や入院に対する医療保障を提供し、多くのフリーランスにとって、万が一のときの助けになることをめざしている。

連合は、Wor-Qなどを活用し、同じ働く仲間であるフリーランスなど「曖昧な雇用」で働く人たちとのつながりを深め、ともに課題解決していくことを推進していく。

38 働く人すべてがワークルール知識の修得を

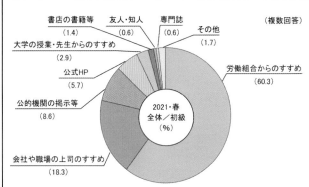

図1［2021春受検者アンケート・検定を知った方法］

（複数回答）

- 書店の書籍等（1.4）
- 友人・知人（0.6）
- 専門誌（0.6）
- その他（1.7）
- 大学の授業・先生からのすすめ（2.9）
- 公式HP（5.7）
- 公的機関の掲示等（8.6）
- 会社や職場の上司のすすめ（18.3）
- 労働組合からのすすめ（60.3）

2021・春 全体／初級（%）

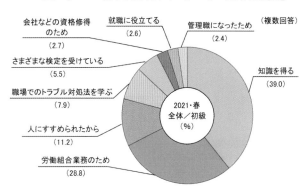

図3［2021春受検者アンケート・受検動機］

（複数回答）

- 会社などの資格修得のため（2.7）
- 就職に役立てる（2.6）
- 管理職になったため（2.4）
- さまざまな検定を受けている（5.5）
- 知識を得る（39.0）
- 職場でのトラブル対処法を学ぶ（7.9）
- 人にすすめられたから（11.2）
- 労働組合業務のため（28.8）

2021・春 全体／初級（%）

図2［ワークルール検定の概要］

初級 年2回（6月・11月）
- ＊受検資格　どなたでも受検可能
- ＊検定時間　45分（マークシート方式　20問）
  事前に60分のＷｅｂ講習を行います。
- ＊検定料　2,900円（講習会受講料を含む）
  職場で問題になりやすいワークルールに関する初歩の知識の修得を目標とします。

中級 年1回（6月）
- ＊受検資格　初級検定合格者
- ＊検定時間　80分（マークシート方式　30問）
- ＊検定料　4,900円（検定のみ）
  　　　　　9,900円（検定＋事前Ｗｅｂ講習会）
  実際に職場で直面すると思われる具体的な事例を設問とし、ワークルールの基本的な考え方を理解することを目的としています。

図4［検定協会の啓発推進委員会メンバー］

浅倉むつ子（早稲田大学名誉教授）
浅沼　弘一（金属労協事務局長）
安西　愈（弁護士）
石田　眞（早稲田大学名誉教授）
上西　充子（法政大学大学院教授）
大福真由美（元電機連合書記長）
氣賀澤克己（元中央労働委員会事務局長）
澤田　潤一（公益財団法人日本生産性本部業務執行理事）
清水　信三（株式会社ANA総合研究所　取締役会長）
鈴木　俊男（前ILO理事〈使用者側代表〉）
田川　博己（JTB　取締役　相談役）
南雲　弘行（元連合事務局長）
西谷　敏（大阪市立大学名誉教授）
長谷川真一（元ILO駐日代表）
東　明洋（全国社会保険労務士会連合会　専務理事）
平田　美穂（中小企業家同友会全国協議会政策広報局長）
宮里　邦雄（弁護士）
村木　厚子（元厚生労働事務次官）

（敬称略、五十音順）
（2021年11月30日時点）

■出所：日本ワークルール検定協会　Copyright © 日本ワークルール検定協会 All Rights Reserved.

　昨今、労働形態が多様化している。労働者自身はもちろんのこと、使用者にもワークルールの知識を高め、職場環境を整備していくことが求められている。

　新型コロナウイルス感染症の影響で、連合「なんでも労働相談ホットライン」への相談件数は増加しており、2020年には2万件を超える相談が寄せられた。相談の中には、ワークルールの知識があれば解決できたであろう事例や、知識不足からトラブルとなった事例も多く、コロナ禍においてワークルール知識修得の重要性はますます高まっている。

　その一方で、ワークルールを学べる場はごくわずかであり、職場や学校教育課程においても修得する機会が少ないのが現状である。

　2013年、ワークルールの社会的な普及と健全な労働環境の実現を目的に、「ワークルール検定制度」が創設された（図2）。連合は、制度立ち上げ当初から参画し、厚生労働省および日本生産性本部からの後援も得ながら、運営などに全面的に協力してきた。これまでに1万4千人以上が受検しているが、受検動機は「業務への活用（知識修得）」が約9割であり（図3）、働きやすい職場環境づくりを強力に後押ししている。

　本検定を主催する日本ワークルール検定協会には、そのあり方を考える「啓発推進委員会」が設置されている。メンバーは、連合に加えて、大学教授、弁護士、ＩＬＯ関係者、使用者団体など、公労使の三者で構成されており（図4）、本検定のさらなる発展のために様々な検討を行っている。一部の企業では管理職登用試験の一環として活用されるなど、本検定に対する社会的認知も高まりつつある。

　連合は、誰もが安心して働ける職場の実現に向け、引き続き本検定制度の社会的ポジションの向上に積極的に関与・協力していく。

39 全国に広がる支え合い・助け合い・ゆにふぁん

図1[社会貢献活動の10分野]

働く人を応援	教育・子育てを応援	自然を守る	地域を元気に	動物を守る
貧困から守る	障がい・介護を支える	フードバンク・子ども食堂	被災地を応援	その他

図2[ゆにふぁんマップ活動地域別の掲載件数]

47都道府県（延べ990件）

2021年7月14日現在

北海道地方 28件
沖縄地方 20件
北陸地方 77件
東北地方 115件
中国地方 98件
関東地方 175件
東海地方 119件
関西地方 130件
四国地方 83件
九州地方 145件

図3[「食」と「環境保護」に関する支援活動]

■注　：「ゆにふぁんマップ」にアクセスするQRコード
https://www.jtuc-rengo.or.jp/unifan/

　連合は、結成当初から「愛のカンパ」活動を展開し、志を同じくするNGO・NPOなどへの資金提供や大規模災害で被災された方々への支援活動を行ってきた。これらのノウハウを活かしつつ、さらに地域の「支え合い・助け合い」活動を支援するための仕組みが「ゆにふぁん」である。2019年10月の開設以来、労働組合や地域のNGO・NPOによる全国の「支え合い・助け合い」活動を紹介・サポートし、社会課題を解決に導く「運動の結節点」としての役割を果たしてきた。

　「ゆにふぁんマップ」開設から2年が経過したが、都道府県ごとの「自然を守る」「フードバンク・子ども食堂」「被災地応援」など10分野の社会貢献活動（図1）と、新型コロナウイルス対策支援などの全国あるいは広域の統一行動をあわせ、この間に掲載された活動は延べ900件を超えている（図2）。

　地域で展開される「支え合い・助け合い」活動は、現場で築かれた経験、知識、工夫で支えられている。「食」に関する支援では、会議やイベントにあわせて持ち寄った食品をフードバンクや子ども食堂への寄付につなげたり、地域の団体と連携した田植え・稲刈り体験で収穫したお米をアジア・アフリカへ送る活動などが行われている。「環境保護」活動についても、SNSの活用やトライアスロン形式で交流を深めながらの清掃活動、遊歩道整備、除草作業、外来種駆除作業、植林活動など、幅広く全国各地で取り組みが展開されており（図3）、これらの活動は、食の安全やフードロス、貧困問題、環境問題などの社会課題について学び、考える機会にもつながっている。

　今後も「ゆにふぁん」の認知度向上、「支え合い・助け合い」活動への参加・参画体験を通じ、仲間の想いを結集し運動の力を高めていく。

40 連合アクション“必ずそばにいる存在”へ

図1［社会運動の参加経験率と必要だと思う割合］

〈社会運動への参加経験率〉　〈社会運動は必要だと思う割合〉

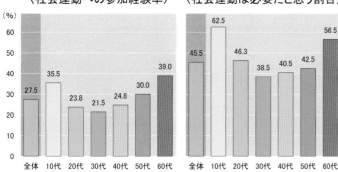

■出所：連合「多様な社会運動と労働組合に関する意識調査2021」

図2［労働組合活動への参加経験率と必要だと思う割合］

〈労働組合活動への参加経験率〉〈労働組合は必要だと思う割合〉

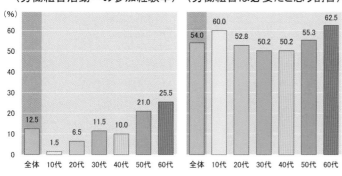

■出所：連合「多様な社会運動と労働組合に関する意識調査2021」

図3［2022連合アクションのイメージ図］

①共感型運動　②オール連合型運動

すべての働く仲間とともに
“必ずそばにいる存在”へ

③参加型運動

■出所：連合作成

Ⅲ

現状と課題

　連合は、2019年の結成30周年を機に、広く社会に対して活動をアピールする「連合アクション」を展開している。

　2021年は、新型コロナウイルス感染症の影響により集会や街頭宣伝活動が制約される中、SNSを中心に毎月5日の「05（れんごう）の日」における全国一斉行動・一斉発信などを実施したが、連合と関わりの少ない層へのアプローチとして一定の効果はあったものの、「連合アクション」が掲げる構成組織・地方連合会が一体となった「オール連合」の運動には至らなかった。

　また、連合の調査では、10歳代の6割、20歳代の5割が労働組合や社会運動は「必要」と回答しつつも、実際の参加には至っていない現状も明らかとなっている（図1・2）。

　これらを踏まえ、2022〜2023年度運動方針では、社会を変える原動力となるべく、新たな運動の確立に挑戦することを確認した。「2022連合

アクション」では、社会運動希求層へのアプローチを中心に、市民目線の社会運動を構築し、「発信」「共感」「参加・行動」「結果の可視化・共有」の好循環による世論形成をはかるとともに、すべての働く仲間や生活者とつながり、開かれた参加型の運動を展開していく。

　さらに、社会運動の強化に向け、リアルとオンラインそれぞれの特性を活かし、変化に対応した労働運動のスタイルを確立すべく、「①政策実現に向けた世論形成をはかるための共感型運動」「②連合本部・構成組織・地方連合会が一体となったオール連合型運動」「③社会運動希求層である若者の思いを受け止める参加型運動」に取り組む（図3）。

　連合は、職場にあっても地域にあっても、すべての働く仲間とともに“必ずそばにいる存在”となるべく、その位置づけをさらに高めるための運動を進めていく。

41 「労働相談ホットライン」から見える実態と課題

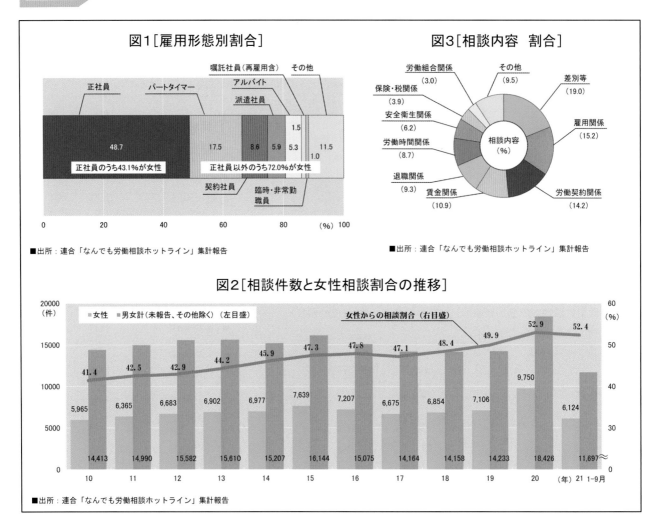

図1[雇用形態別割合]

■出所：連合「なんでも労働相談ホットライン」集計報告

図3[相談内容　割合]

■出所：連合「なんでも労働相談ホットライン」集計報告

図2[相談件数と女性相談割合の推移]

■出所：連合「なんでも労働相談ホットライン」集計報告

　連合「なんでも労働相談ホットライン」には例年1万5千件程度の相談が寄せられるが、2020年は2万件を超えた（電話：18,455件、メール：1,615件、LINE：756件）。2021年1～9月はすでに12,985件に上っており、コロナ禍の影響が職場を直撃している状況が見て取れる。

　2021年の電話による相談者の内訳を見ると、雇用形態別では、正社員が48.7％、正社員以外は51.3％となっている（図1）。また性別では、女性が52.4％と五割を超え、正社員以外では72.0％が女性である。過去10年の推移を見ても、女性からの相談割合は増加傾向にある（図2）。

　相談内容は、「差別等（セクハラ・パワハラ、嫌がらせ等）」が19.0％と最も多く、「雇用関係（解雇・退職強要・契約打切、休業補償等）」15.2％、「労働契約関係（雇用契約・就業規則等）」14.2％が続く（図3）。コロナ禍で職場全体が疲弊し、特に非正規雇用で働く女性への影響が大きいことが推察される。

　相談者の職場には労働組合がないケースが多く見られる。一人の問題は職場で働くすべての仲間の問題であるととらえ、仲間とともに労働組合を結成し、会社と対等な立場で交渉できる環境づくりをサポートすることが急務である。雇用形態にかかわらず、誰もが安心して働き暮らすために、労働組合の果たす役割は大きい。

　連合は、多様化する相談者のニーズにこたえるべく、24時間365日15言語で労働相談に対応する労働相談自動会話プログラム（チャットボット）「ゆにボ」の運用を、2021年10月に開始した。また、2022年1月からは労働相談センターの集中化を行うなど相談体制の見直しを行い、対応を強化する。

　連合は、労働組合が「必ずそばにいる存在」となるべく、引き続き積極的な取り組みを進めていく。

42 労働相談から見える若者の実態と課題

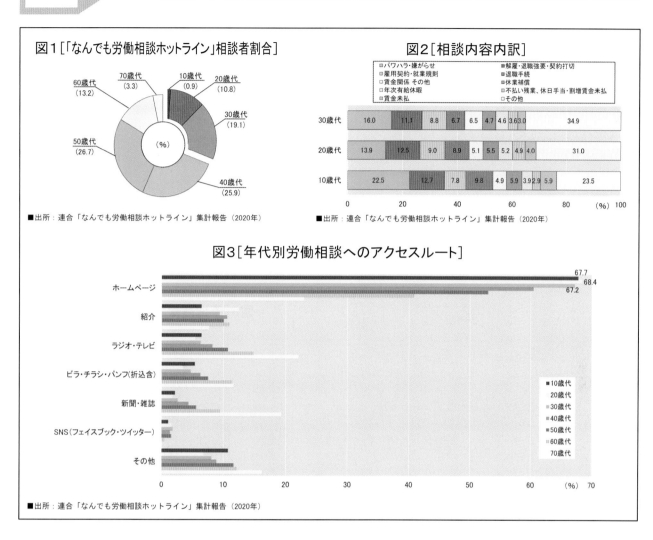

図1[「なんでも労働相談ホットライン」相談者割合]

70歳代(3.3) 10歳代(0.9) 20歳代(10.8) 60歳代(13.2) 30歳代(19.1) 50歳代(26.7) (%) 40歳代(25.9)

■出所：連合「なんでも労働相談ホットライン」集計報告（2020年）

図2[相談内容内訳]

□パワハラ・嫌がらせ　■解雇・退職強要・契約打切
□雇用契約・就業規則　■退職手続
□賃金関係 その他　■休業補償
□年次有給休暇　□不払い残業、休日手当・割増賃金未払
■賃金未払　□その他

	パワハラ・嫌がらせ	解雇・退職強要・契約打切	雇用契約・就業規則	退職手続	賃金関係 その他	休業補償	年次有給休暇	不払い残業、休日手当・割増賃金未払	賃金未払	その他
30歳代	16.0	11.1	8.8	6.7	6.5	4.7	4.6	3.6	3.0	34.9
20歳代	13.9	12.5	9.0	8.9	5.1	5.5	5.2	4.9	4.0	31.0
10歳代	22.5	12.7	7.8	9.8	4.9	5.9	3.9	2.9	5.9	23.5

■出所：連合「なんでも労働相談ホットライン」集計報告（2020年）

図3[年代別労働相談へのアクセスルート]

ホームページ 67.7 / 68.4 / 67.2
紹介
ラジオ・テレビ
ビラ・チラシ・パンフ(折込含)
新聞・雑誌
SNS(フェイスブック・ツイッター)
その他

■10歳代
20歳代
■30歳代
■40歳代
■50歳代
■60歳代
70歳代

■出所：連合「なんでも労働相談ホットライン」集計報告（2020年）

　連合は、大学への寄附講座の開催や「働くみんなにスターターＢＯＯＫ」の発行などにより、若者を対象とした労働関連法の周知活動に取り組んでいる。

　連合の「なんでも労働相談ホットライン」（以下ホットライン）には、幅広い年代からの労働相談が寄せられるが、2020年に寄せられた若者（10～30歳代）の相談件数は3,432件と、相談者の年齢が判明している全相談件数11,080件の約3割にあたる（図1）。

　若者の相談内容を年代別で見ると、20・30歳代の上位3位は、1位からパワハラ・嫌がらせ、解雇・退職強要、雇用契約・就業規則となっており、10歳代は1位・2位は変わらないものの、3位が退職手続となっている（図2）。これらの相談の中には、労働関連法を知っていれば未然に防げたトラブルも見受けられ、若い世代に対する一層の労働教育の充実が求められる。

　また、10～20歳代の相談では、両親や友人など、周囲が本人を心配して相談するケースも少なくない。特にハラスメントについては、職場に相談することができず、孤立して耐え忍ぶケースも見受けられる。

　2020年に寄せられた相談は、全世代共通してホームページからホットラインを知り相談に至ったケースが最多となっているが（図3）、10～30歳代では、10歳代67.7％、20歳代68.4％、30歳代67.2％と、全世代平均（57.0％）と比べて10ポイント以上高い結果となっている。このことからも、若者の相談窓口としてWEBアクセスが有用であることが見てとれる。

　連合は、2019年に連合労働相談センターを立ち上げ、労働相談窓口の周知に努めてきた。引き続き、インターネットを活用した取り組みの充実とともに、若者が希望を持って働き続けられる職場づくりに全力で取り組む。

43 労働相談から見えた外国人労働者の実態と課題

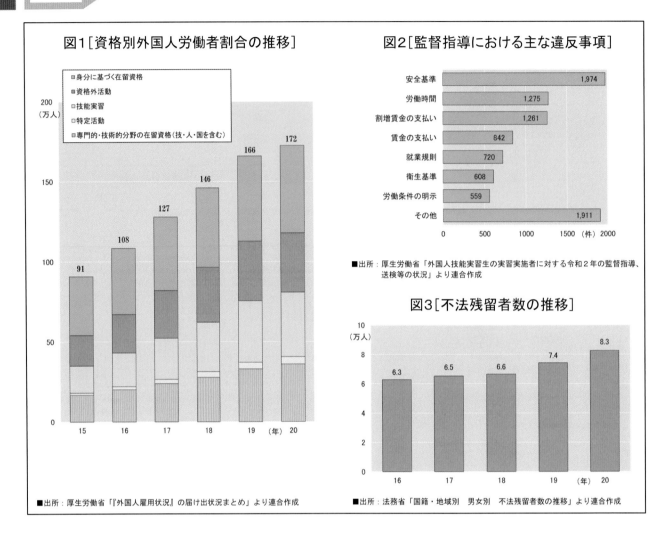

図1[資格別外国人労働者割合の推移]

凡例：
- 身分に基づく在留資格
- 資格外活動
- 技能実習
- 特定活動
- 専門的・技術的分野の在留資格（技・人・国を含む）

（万人）

年	計
15	91
16	108
17	127
18	146
19	166
20	172

■出所：厚生労働省「『外国人雇用状況』の届け出状況まとめ」より連合作成

図2[監督指導における主な違反事項]

項目	件数
安全基準	1,974
労働時間	1,275
割増賃金の支払い	1,261
賃金の支払い	842
就業規則	720
衛生基準	608
労働条件の明示	559
その他	1,911

（件）

■出所：厚生労働省「外国人技能実習生の実習実施者に対する令和2年の監督指導、送検等の状況」より連合作成

図3[不法残留者数の推移]

（万人）

年	万人
16	6.3
17	6.5
18	6.6
19	7.4
20	8.3

■出所：法務省「国籍・地域別　男女別　不法残留者数の推移」より連合作成

　2020年10月末時点、約172万人の外国人労働者が日本で働いている（図1）。

　厚生労働省が2021年8月に発表した「外国人技能実習生の実習実施者に対する令和2年の監督指導、送検等の状況」によると、労働基準関係法令違反が認められた事業場は、監督指導を受けた8,124事業場のうち5,752事業場（70.8％）にのぼり、主な違反事項は、使用する機械等の安全基準、労働時間、割増賃金の支払い等であった（図2）。多くの事業場で法令が守られず、外国人労働者が過酷な環境に耐えながら働いている実態が浮き彫りとなった。

　また、就労ビザや技能実習ビザで入国した外国人労働者が解雇された場合、ビザの延長手続きができずに、帰国を余儀なくされるか不法滞在となる可能性があるが（図3）、実際にビザが切れる直前に解雇され、使用者と争うことができずに帰国させられるといったケースも起こっている。

　連合本部は2021年1月、外国人労働者を対象とした労働相談を、電話やSNSを利用して実施した。寄せられた相談は「残業代が払われない」「暴力やハラスメントを受けている」「日本人と明らかに待遇が違う」といった労働条件や職場に関するもののほか、「監理団体に通報すれば会社から報復に遭う」「解雇されることを恐れている」といった声もあり、働く上で不当な扱いを受けていても相談したり行動したりすることが出来ず、我慢を強いられている外国人労働者の実態が明らかとなった。

　外国人労働者が安心して働き続けるためには、使用者の労働関連法令遵守にとどまらず、彼らの生活を守る各種支援制度の労使双方への周知・徹底、安心して相談できる体制の整備が必要である。連合は、行政、各種団体との連携を通じて、これら取り組みを推進していく。

IV

2022
春季生活闘争

資料編

1．賃上げ要求の推移

西暦	和暦	要求内容	定昇込み	賃上げ分
1988	昭和63	**6〜7％程度**をガイドゾーンとする。	6〜7％程度	
1989	平成1	**6％〜8％のゾーン**とし、**7％程度**を中心に『連合』の加盟組織全体が参加する体制をとり、要求貫徹を目指す。 あわせて、中小労働者の格差是正と賃金水準の底上げにむけて、15,000円の要求を目指すよう努力する。	7％程度	
1990	平成2	「連合」としての賃上げ目標を「**8〜9％中心**」とし、構成組織全体が参加する体制をとる。中小労働者の賃金水準の引上げと格差の是正・縮小をめざし、少なくとも、18,000円程度の賃上げ要求をめざすよう努力する。	8〜9％中心	
1991	平成3	「連合」としての賃上げ目標を「**8〜9％中心**」とし、構成組織全体が参加する体制をとる。中小労働者の賃金水準の引上げと格差の是正・縮小をめざし、少なくとも、19,000円程度の賃上げ要求をめざすよう努力する。	8〜9％中心	
1992	平成4	要求目標は、前年の目標を基本とする共通認識に立ちながら、諸情勢を総合的に判断し、全構成組織の参加とマクロ的視点から、「**8％を中心、20,000円以上**」とする。	8％を中心	
1993	平成5	要求目標は、組合員平均賃金（ベース）270,800円を基準に「**7％を中心、20,000円以上**」とする。連合は額重視で取り組んでいく。	7％を中心	
1994	平成6	連合全体として、要求目標「**5〜6％**」をかかげ、戦いを展開する。 格差是正に取り組む構成組織は、額で20,000円以上を要求していく。	5〜6％	
1995	平成7	連合全体として、**平均賃上げの要求目標は、14,000円**とする。（注1）。この要求額は、5,600円の定昇相当分、1,700円の物価上昇分、6,700円の生活向上分を積み上げたものである。 （注1）連合平均賃上げ要求目標の場合の平均ベース賃金は280,000円と推計する。	5〜6％	
1996	平成8	連合全体として、**平均賃上げでは13,000円中心**を要求目標とする。 この要求額は、5,700円の定昇相当分、7,300円の生活維持・向上分（物価上昇分＋生活向上分）を積み上げたものであり、生活向上分の確保を重視する。 この要求目標における連合組合員の平均ベース賃金は286,000円を想定する。	4.5％	2.6％
1997	平成9	**平均賃上げは、13,000円中心**を要求目標とする。平均ベースは、294,000円。 なお、平均7,100円の生活維持・向上分（物価上昇分＋生活向上分）と5,900円の定期昇給（相当分）を積み上げたものである。	4.7％	2.4％
1998	平成10	平均賃上げ方式による要求を行なう場合は、**生活維持・向上分（ベア分）8,900円**を基本とする。なお、定昇（相当分）を含む要求とする組合は、平均の定昇率2％（額表示6,100円）程度を加え、15,000円中心とする。		2.9％
1999	平成11	・到達要求目標（水準）は、経済・産業実態、望ましいマクロ経済運営を踏まえた賃金引上げの役割を考慮し、**ベア1％以上を根拠**に新賃金水準を示す。 ・ベアは過年度物価上昇率（−0.3％程度の見込み）を踏まえた生活維持・向上分とする。 ・また、賃金水準の維持・引上げの際の考え方としては、上記ベアのほか定期昇給（2％程度）あるいは賃金カーブ維持分（実態値に基づく）を基礎とする。		1％以上
2000	平成12	まず賃金体系維持分（実態値）としての**定昇もしくは定昇相当分を確保**した上で、生活維持・向上分1％以上を上乗せした到達水準を示すこととする。 なお、平均賃上げ方式を取らざるを得ない組合で、定期昇給相当分が設定できない場合の定期昇給相当分は2％程度と換算する。		1％以上
2001	平成13	実質可処分所得の引き上げと2％程度の実質成長を確実なものとするため、**純ベア分の要求基準を「1％以上」**とする。		1％以上
2002	平成14	①賃金カーブ維持分プラスαとし、プラスαは産業別部門連絡会との調整のうえ、各産別が産業動向・企業動向を踏まえ設定する。 ②賃金カーブ維持要求の組合も要求書を提出する。 ③賃金カーブ維持分の算定が困難な組合については、定期昇給相当分2％の確保を目安にプラスαを設定する。		
2003	平成15	①各組合は、賃金カーブ確保を前提に、産別方針を踏まえたうえで、格差是正を求めるところ、賃金への配分ができると組合が判断したところは賃金引上げに取り組む。 ②賃金カーブ維持分の算定が困難な組合については、標準労働者の年齢ポイント別最低到達目標を達成できる1年平均昇給額5,700円の確保を目安に要求を設定する。 ※5,700円は、18歳年齢別最低賃金水準148,000円と35歳勤続17年の最低到達目標245,000円の1歳1年間の平均間差額である。		
2004	平成16	すべての組合は、賃金実態の把握と前段交渉の強化を通じ、賃金カーブ維持分の労使確認と「賃金カーブの確保」をはかり、さらに、生活向上と格差是正をめざす組合は、純ベア要求とその獲得に取り組む。		
2005	平成17	①すべての組合は、「賃金カーブの確保とカーブ維持分の労使確認」に取り組む。 ②特に、月例賃金が報酬体系のベース（安定性・社会性の確保、割増賃金等への跳ね返りなど）であることに留意し、情勢変化を前向きにとらえ、可能な限り積極的に純ベアを要求し、その獲得をめざす。 ③賃金制度未整備の組合では、ここ数年、賃金カーブの低下が目立つという結果を踏まえ、「賃金カーブの確保」の取り組みを徹底する。 ※賃金カーブ維持の定義：個別賃金水準の維持。具体的には、賃金制度のある組合＝賃金表の維持。賃金制度のない組合＝1歳1年間差の確保。		
2006	平成18	①賃金カーブ維持分を確保したうえで、ベースアップや時給引き上げ、賃金カーブの是正、低賃金層の底上げ等によって、積極的な「賃金改善」に取り組む。 ②月例賃金の改善を最優先し、年間収入の維持・向上をめざす。 ③産別は、産業内格差圧縮、産業間格差是正なども考慮し、具体的要求基準を設定する。		
2007	平成19	①賃金カーブ維持分と物価上昇分を確保したうえで、生活向上分としてのベースアップや時間給の引き上げ、格差是正、賃金カーブの是正、低賃金層の底上げ等によって、昨年を上回る「賃金改善」を行う。		
2008	平成20	足下の状況を踏まえ、**マクロ的には労働側に実質1％以上の配分**の実現をめざす。そして、同時に経済成長に見あった配分の追求を通して、非正規労働者を含むすべての勤労者への適正な成果配分の実現をめざす。		1％以上
2009	平成21	①賃金改善（賃金引き上げ）の考え方 　ア）賃金カーブ維持分を確保したうえで、物価上昇（2008年度の見通し）に見合うベアによって、勤労者の実質生活を維持・確保することを基本とし、マクロ経済の回復と内需拡大につながる労働側への成果配分の実現をめざす。 　イ）中小・下請労働者の格差是正、非正規労働者の処遇改善や正社員化に向けて産別の指導のもと取り組みを展開する。		

西暦	和暦	要求内容	定昇込み	賃上げ分
2010	平成22	①賃金改善の取り組み i）賃金水準の低下を阻止するため、賃金カーブ維持分の確保をはかる。 　　賃金制度が未整備な組合は産別指導のもとで、連合が示す1歳・1年間差の社会的水準である5,000円（＊）を目安に要求を行い、賃金水準の維持をはかる。 　　（＊）賃金に関して最も規模の大きい統計である厚労省・賃金構造基本統計調査から全産業・規模計（基本賃金ベース）における1歳・1年間差は、5,000円（時間給30円：月所定労働165時間で計算）程度と推計する。 ii）そのうえで、各産別は産別・単組の実態をふまえ、産業・規模間格差や企業内の賃金体系上の歪や賃金分布の偏りの是正も含めて、賃金改善に取り組む。		
2011	平成23	①賃金の維持・復元の取り組みについて マクロでみて下がった賃金を近年のピーク時の水準にできるだけ早く戻すという観点から賃金水準の復元を追求する。 i）賃金カーブ維持をはかる事に全力を挙げ、所得と生活水準の低下に歯止めをかけるとともに、より賃金の水準を重視（絶対額水準）した取り組みを徹底し、個別賃金水準の維持をはかる。また、賃金制度が未整備な組合は、産別の指導のもとで整備に向けた取り組みを強化する。賃金制度が未整備な組合は、連合が示す1歳・1年間差の社会的水準である5,000円（＊1）を目安に賃金水準の維持をはかる。 　　（＊1）賃金構造基本統計調査から全産業・規模計（組合員の基本賃金ベース）の1歳・1年間差は、5,000円（時間給では30円：月所定労働165時間で計算）程度と推計する。 ii）低下した賃金（＊2）水準の中期的な復元・格差是正の観点から、取り組みを進める。 　　（＊2）厚労省・毎月勤労統計調査では、1997年と2009年で比較すると、一般労働者で5.1％減となっている。同・賃金構造基本統計調査では、平均所定内賃金（労務構成の変化の影響を除く）で1997年と2009年を比較すると、全産業・規模計で7.0％減少している。		
2012	平成24	1）賃上げの取り組み 格差是正、底上げ・底支えの観点から、すべての労働者を視野に入れ、すべての構成組織、企業別組合がおかれた状況のもとで、適正な成果配分を追求する闘争を展開する。 低下した賃金水準（＊1）の中期的な復元・格差是正に向けた取り組みを徹底し、すべての労働者のために、あらゆる労働条件を点検し、体系の歪みを是正するとともに、労働者の生活実感に沿う多様な取り組みを展開する。震災からの復旧・復興等労働者の頑張りに応えることも含め、適正な配分を追求し、デフレから脱却し、活力ある社会への転換をはかる。 なお、賃金制度が未整備な組合は、構成組織の指導のもとで制度の確立・整備に向けた取り組みを強化する。連合が示す1歳・1年間差の社会的水準である5,000円（＊2）を目安に賃金水準の維持をはかる。 　　（＊1）厚労省・毎月勤労統計調査では、1997年と2010年で比較すると、一般労働者で4.0％減となっている。同・賃金構造基本統計調査では、平均所定内賃金（労務構成の変化の影響を除く）で1997年と2010年を比較すると、全産業・規模計で7.1％減少、1000人以上規模で5.6％、10-99人規模で8.6％減少している。 　　（＊2）賃金構造基本統計調査から全産業・規模計（組合員の基本賃金ベース）の1歳・1年間差は、5,000円（時間給では30：月所定労働165時間で計算）程度と推計する。 具体的な設定に当たっては、連合方針を踏まえ、共闘連絡会議において産業実態や共通課題を含めた情報交換・議論を行い、構成組織が決定する。		
2013	平成25	1）月例賃金 ① 賃金カーブ維持分を確保し、所得と生活水準の低下に歯止めをかける。加えて、低下した賃金水準の中期的な復元・格差是正、体系のゆがみ等の是正に向けた取り組みを推進する。 ② 規模間格差や男女間格差の実態把握とその是正をはかることや、正社員と非正規社員との均衡・均等処遇の実現をはかるために、従来以上に個別銘柄の賃金水準を重視した取り組みを進める。具体的には、組合員の個別賃金実態を把握し、賃金水準や賃金カーブのゆがみ、格差是正の必要性の有無等の把握に努め、これらを改善する取り組みを強化する。構成組織は個別銘柄でのふさわしい賃金水準を設定し、実現をめざした運動を展開する。 ③ 賃金制度が未整備である組合は、構成組織の指導のもとで制度の確立・整備に向けた取り組みを強化する。連合が示す1歳・1年間差の社会的水準である5,000円を目安に賃金水準の維持をはかる。具体的な設定にあたっては、連合方針を踏まえ、共闘連絡会議において産業実態や共通課題を含めた情報交換・議論を行い、構成組織が決定する。		
2014	平成26	すべての構成組織は、月例賃金にこだわる闘いを進め、底上げ・底支えをはかるために、**定昇・賃金カーブ維持相当分（約2％）**を確保し、過年度物価上昇分はもとより、生産性向上分などを、賃上げ（1％以上）として求める。また、格差是正・配分のゆがみの是正（1％を目安）の要求を掲げ、「底上げ・底支え」「格差是正」に全力をあげる。		1％以上
2015	平成27	定期昇給・賃金カーブ維持相当分の確保を前提とし、**過年度の消費者物価上昇分や企業収益の適正な分配の観点、経済の好循環を実現していく社会的役割と責任を踏まえ、すべての構成組織が取り組みを推進していくことを重視し2％以上の要求**を掲げ、獲得をめざす。（定期昇給相当額と賃上げ額を加えた要求は4％以上とする）	4％以上	2％以上
2016	平成28	それぞれの産業全体の「底上げ・底支え」「格差是正」に寄与する取り組みを強化する観点から**2％程度を基準とし、定期昇給相当分（賃金カーブ維持相当分）を含め4％程度**とする。	4％程度	2％程度を基準
2017	平成29	それぞれの産業全体の「底上げ・底支え」「格差是正」に寄与する取り組みを強化する観点から**2％程度を基準とし、定期昇給相当分（賃金カーブ維持相当分）を含め4％程度**とする。	4％程度	2％程度を基準
2018	平成30	それぞれの産業全体の「底上げ・底支え」「格差是正」に寄与する取り組みを強化する観点から、**2％程度を基準とし、定期昇給相当分（賃金カーブ維持相当分）を含め4％程度**とする。	4％程度	2％程度を基準
2019	平成31 令和1	社会全体に賃上げを促す観点とそれぞれの産業全体の「底上げ・底支え」「格差是正」に寄与する取り組みを強化する観点を踏まえ、**2％程度を基準とし、定期 昇給相当分（賃金カーブ維持相当分）を含め4％程度**とする。	4％程度	2％程度を基準
2020	令和2	社会全体に賃上げを促す観点とそれぞれの産業全体の「底上げ」「底支え」「格差是正」に寄与する取り組みを強化する観点から、**2％程度とし、定期昇給分（定昇維持相当分）を含め4％程度**とする。	4％程度	2％程度
2021	令和3	**定期昇給相当分（2％）の確保を大前提**に、産業の「底支え」「格差是正」に寄与する「賃金水準追求」の取り組みを強化しつつ、**それぞれの産業における最大限の「底上げ」に取り組むことで、2％程度の賃上げを実現**し、感染症対策と経済の自律的成長の両立をめざす。	4％程度	2％程度

2．中小組合の賃上げ要求の推移

西暦	和暦	要求内容	備考
1989	平成1	中小労働者の格差是正と賃金水準の底上げに向けて、15,000円の要求をめざすよう努力する。	
1990	平成2	中小労働者の賃金水準の引き上げと格差是正・縮小をめざし、少なくとも、18,000円程度の賃上げ要求をめざすよう努力する。	
1991	平成3	中小労働者の賃金格差の縮小をめざし、少なくとも19,000円程度の賃上げ要求をめざすよう努力する。	
1992	平成4	賃金、一時金の大幅な引き上げをはかるとともに、格差の大きい退職金などの格差是正に取り組む。	
1993	平成5	要求の表示にあたっては「額」「率」を合わせ示し、格差縮小に重点をおき「額」を重視する。	
1994	平成6	・格差是正に取り組む構成組織は、額で20,000円以上を要求していく。 ・産業間、規模間、男女間の賃金格差の是正の取り組みを重視する。 ・各構成組織は、格差是正分を要求に含め、(略)格差是正に取り組む。	
1995	平成7	・産業間、規模間、男女間の賃金格差の是正を重視し、構成組織は格差是正の取り組みを強化する。 ・規模間格差是正のため、中小組合は(略)格差是正分を明確にした要求を行う(略)。	○中小共闘センターの設置 （1994年10月6日の中央執行委員会で確認） ・本体方針の要求目標は14,000円中心
1996	平成8	賃上げでは、額要求を基本に、格差是正を含む個別賃金要求に取り組む。	
1997	平成9	格差是正を含む個別賃金要求に取り組む。	
1998	平成10	産業間、規模間、男女間、正規・非正規間の格差是正をはかるため、取り組みを強める。具体的には、大手の支援と連携による格差是正の取り組み、年次到達目標の設置、賃金格差是正の取り組みなど	
1999	平成11	要求方式は大手との格差是正を重視し、可能な限り年齢別ポイント賃金（個別要求）を設定し、その水準への到達をはかる。	
2000	平成12	生涯所得の格差を生み出す賃金の格差是正に向け、そのステップと手法について、産業別部門連絡会と構成組織内部における検討を行う。	
2001	平成13	最低到達目標の設定や格差是正分の別枠要求などに取り組む。	
2002	平成14	賃金カーブ維持の取り組みを一段と強化する。	
2003	平成15	賃金カーブ維持の取り組みを一段と強化する。	
2004	平成16	賃金カーブ維持分の算定が困難な中小・地場組合は5,200円の確保を目安に要求を設定する。	
2005	平成17	①賃金カーブの算定が可能な組合 賃金カーブの確保・カーブ維持分の労使確認＋　500円以上 ②賃金カーブの算定が困難な組合 ・賃金カーブの確保相当分5,200円（目安）＋500円以上 　5,700円以上	○「中小共闘」方針を策定 ・賃金の規模・地域・男女・企業内等の格差是正や底上げとして要求を設定
2006	平成18	①賃金カーブの算定が可能な組合 賃金カーブの確保・カーブ維持分の労使確認＋　2,000円以上（賃金改善分） ②賃金カーブの算定が困難な組合 6,500円以上とする。 賃金カーブの確保相当分4,500円（目安）＋2,000円以上（賃金改善分） ③環境が整っている組合の格差是正加算要求 格差是正分とし、要求に加算する。	2,000円以上は、賃金の回復をめざした改善分とする。
2007	平成19	①賃金カーブの算定が可能な組合 賃金カーブの確保・カーブ維持分の労使確認＋　2,500円以上（賃金改善分） ②賃金カーブの算定が困難な組合 7,000円以上 賃金カーブの確保相当分4,500円（目安）＋2,500円以上（賃金改善分）	物価上昇分を加えた賃金改善分とする。 ・物価上昇分(0.6％:連合総研見通し)　×　中小の実態賃金(245,000円程度)　≒　1,500円 ・賃金改善分　＝　1,000円
2008	平成20	①賃金カーブの算定が可能な組合 賃金カーブの確保・カーブ維持分の労使確認＋　2,500円以上（賃金改善分） ②賃金カーブの算定が困難な組合 7,000円以上 賃金カーブの確保相当分4,500円（目安）＋2,500円以上（賃金改善分）	中小の実態賃金(245,000円程度)　×　1％≒　2,500円 "1％"は、2008春季生活闘争基本構想の「マクロ的には労働側に実質1％以上の配分の実現をめざす。」を踏襲した。
2009	平成21	①賃金カーブの算定が可能な組合 1段目 … 賃金カーブ維持分（単組賃金分析結果より算出） 2段目 … ベースアップ分（物価上昇見合い分として2％弱） 3段目 … 格差是正分（経済成長分や産別組織・地方連合会などの方針を踏まえ、単組の事情により設定） ②賃金カーブの算定が困難な組合 9,000円以上とする 1段目 … 賃金カーブ維持分（4,500円） 2段目 … ベースアップ分（4,500円以上（推計月例賃金×2％弱）） 3段目 … 格差是正分（上記①と同様）	賃金カーブ維持分に加え、物価上昇をベースアップに含めた生活維持分の確保に重点を置いた要求目安とする。 また、三段積み上げ方式とし、賃金改善分を二段目および三段目とする。
2010	平成22	①賃金カーブの算定が可能な組合 賃金カーブの確保・カーブ維持分の労使確認＋500円以上（賃金改善分） ②賃金カーブの算定が困難な組合 5,000円以上 →賃金カーブの確保相当分4,500円（目安）＋500円以上	それぞれが賃金を全体的に検証し、是正や立ち遅れている部分も含めた要求を組み立てることとし、「500円以上」を賃金改善分とした。

西暦	和暦	要求内容	備考
2011	平成23	①賃金カーブ維持分を算定可能な組合（定昇制度が確立している組合を含む）は、その維持原資を労使で確認する。 ②賃金カーブ維持分が算定困難な組合は、賃金カーブ維持相当分として4,500円を要求する。 ③賃金水準の低下や賃金格差、賃金のひずみなどの状況に応じて、賃金改善分として**1％を目安**に要求、交渉を展開する。	
2012	平成24	①賃金カーブ維持分を算定可能な組合（定昇制度が確立している組合を含む）は、その維持原資を労使で確認する。 ②賃金カーブ維持分が算定困難な組合は、賃金カーブ維持相当分として4,500円を要求する。 ③賃金水準の低下や賃金格差、賃金のひずみなどの状況に応じて、賃金改善分として**1％を目安**に要求、交渉を展開する。	
2013	平成25	(1)賃金カーブ維持 　①賃金カーブ維持分を算定可能な組合（定昇制度が確立している組合を含む）は、その維持原資を労使で確認する。 　②賃金カーブ維持分が算定困難な組合は、賃金カーブ維持相当分として4,500円を要求する。 (2)賃金水準の低下や賃金格差、賃金のひずみなどの状況に応じて、**1％を目安**に賃金引き上げを要求する。	
2014	平成26	(1)賃金カーブ維持 　賃金カーブ維持分を算定可能な組合（定昇制度が確立している組合を含む）は、その維持原資を労使で確認する。 (2)賃金の引き上げ 　景気回復局面、物価上昇局面にあることや、賃金水準の低下や賃金格差、賃金のひずみの是正をはかることをめざし、**5,000円**の賃金引き上げを目安とする。 　したがって、賃金カーブ維持分が算定困難な組合は、賃金カーブ維持相当分の4,500円を含め**9,500円**を目安に賃金引き上げを求める。	
2015	平成27	(1)賃金引き上げ要求目安 　過年度物価上昇相当分の確保とともに、「格差是正」「底上げ・底支え」をさらに前進させていくことが重要である。具体的な賃上げ目標は、従前と同様、中小組合の平均賃金を基準とした引き上げ額をベースとした上で、「格差是正」「底上げ・底支え」をはかる観点で、連合加盟組合平均賃金との格差の拡大を解消する水準を設定する。すなわち、連合加盟組合全体平均賃金水準の2％相当額との差額を上乗せした金額を賃上げ水準目標（6,000円）とし、賃金カーブ維持分（4,500円）を含め総額で**10,500円以上**を目安に賃金引き上げを求める。	
2016	平成28	(1)月例賃金の引き上げ 　中小組合の平均賃金を基準とした引き上げ額をベースとしたうえで、「底上げ・底支え」「格差是正」をはかる観点で、連合加盟組合平均賃金との格差の拡大を解消する水準を設定する。すなわち、連合加盟組合全体平均賃金水準の2％相当額との差額を上乗せした金額を賃上げ水準目標（6,000円）とし、賃金カーブ維持分（1年・1歳間差）（4,500円）を含め、総額で**10,500円以上**を目安に賃金引き上げを求める。	
2017	平成29	(1)月例賃金の引き上げ 　中小組合の平均賃金を基準とした引き上げをベースとしたうえで、「底上げ・底支え」「格差是正」をはかる観点で、連合加盟組合平均賃金との格差の拡大を解消する水準を設定する。すなわち、連合加盟組合全体平均賃金水準の2％相当額との差額を上乗せした金額を賃上げ水準目標（6,000円）とし、賃金カーブ維持分（1年・1歳間差）（4,500円）を含め、総額で**10,500円以上**を目安に賃金引き上げを求める。	
2018	平成30	(1)月例賃金の引き上げ 　中小組合の平均賃金を基準とした引き上げ額をベースとした上で、「底上げ・底支え」「格差是正」をはかる観点で、連合加盟組合平均賃金との格差の拡大を解消するために、率ではなく額で水準を設定する。すなわち、連合加盟組合全体平均賃金水準の2％相当額との差額を上乗せした金額を賃上げ水準目標（6,000円）とし、賃金カーブ維持分（1年・1歳間差）（4,500円）を含め、総額で**10,500円以上**を目安にすべての中小組合は賃金引き上げを求める。	
2019	平成31 令和1	①賃金の絶対額を重視した月例賃金の引き上げ 　a）すべての中小組合は、賃金カーブ維持相当分（1年・1歳間差）を確保した上で、自組合の賃金と社会横断的水準を確保するための指標とを比較し、その水準の到達に必要な額を加えた総額で賃金引き上げを求める。また、獲得した賃金改善原資の各賃金項目への配分等にも積極的に関与する。 　b）賃金実態が把握できないなどの事情がある場合は、連合加盟中小組合の平均賃金水準約25万円と賃金カーブ維持分（1年・1歳間差）をベースとして組み立て、連合加盟組合平均賃金水準約30万円との格差を解消するために必要な額を加えて、引き上げ要求を設定する。すなわち、連合加盟組合平均賃金水準の2％相当額との差額を上乗せした金額6,000円を賃上げ目標金額とし、賃金カーブ維持分4,500円を加え、総額10,500円以上を目安に賃金の引き上げを求める。	中小共闘方針を闘争方針本体に組み入れた。
2020	令和2	a）すべての中小組合は、賃金カーブ維持相当分（1年・1歳間差）を確保した上で、自組合の賃金と社会横断的水準を確保するための指標を比較し、その水準の到達に必要な額を加えた総額で賃金引き上げを求める。また、獲得した賃金改善原資の各賃金項目への配分等にも積極的に関与する。 b）賃金実態が把握できないなどの事情がある場合は、連合加盟中小組合の平均賃金水準（約25万円）と賃金カーブ維持分（1年・1歳間差）をベースとして組み立て、連合加盟組合平均賃金水準（約30万円）との格差を解消するために必要な額を加えて、引き上げ要求を設定する。すなわち、連合加盟組合平均賃金水準の2％相当額との差額を上乗せした金額6,000円を賃上げ目標金額とし、賃金カーブ維持分4,500円を加え、総額10,500円以上を目安に賃金の引き上げを求める。	
2021	令和3	①すべての中小組合は、賃金カーブ維持相当分（1年・1歳間差）を確保した上で、自組合の賃金と社会横断的水準を確保するための指標を比較し、その水準の到達に必要な額を加えた総額で賃金引き上げを求める。また、獲得した賃金改善原資の各賃金項目への配分等にも積極的に関与する。 ②賃金実態が把握できないなどの事情がある場合は、連合加盟中小組合の平均賃金水準（約25万円）と賃金カーブ維持分（1年・1歳間差）をベースとして組み立て、連合加盟組合平均賃金水準（約30万円）との格差を解消するために必要な額を加えて、引き上げ要求を設定する。すなわち、賃金カーブ維持分（4,500円）の確保を大前提に、連合加盟組合平均水準の2％相当額との差額を上乗せした金額6,000円を賃上げ目標とし、総額10,500円以上を目安に賃上げを求める。	

※中小共闘方針は2004闘争から2018闘争まで策定した。これ以外の闘争については、本体方針からの抜粋である。

3．2021連合リビングウェイジ（さいたま市）総括表

世帯構成	単身成人	2人（成人・保育児）	2人（成人男女）	3人（成人・中学生・小学生）	3人（成人男女・小学生）	4人（成人男女・小学生2人）	4人（成人男女・高校生・中学生）
住居間取り	1K	1DK	1DK	2DK	2DK	3DK	3DK
1. 食料費	34,831	44,522	66,012	73,402	81,761	88,022	109,185
内食費	16,415	21,340	32,830	45,962	44,321	47,439	58,602
昼食代	10,000	10,000	20,000	10,000	20,000	20,000	30,000
外食費	3,346	5,577	5,577	7,808	7,808	8,923	8,923
し好食費	5,070	7,605	7,605	9,632	9,632	11,660	11,660
2. 住居費	49,292	51,375	51,375	54,500	54,500	74,500	74,500
家賃・管理費・更新料	48,958	51,042	51,042	54,167	54,167	74,167	74,167
住宅保険料	333	333	333	333	333	333	333
3. 光熱・水道費	7,861	15,439	15,439	18,228	18,228	21,776	21,776
電気代	3,197	6,379	6,379	7,175	7,175	8,258	8,258
ガス代	2,802	4,697	4,697	5,304	5,304	5,789	5,789
上下水道費	1,861	4,363	4,363	5,749	5,749	7,729	7,729
4. 家具・家事用品	2,983	5,986	6,317	7,182	7,453	8,525	8,525
耐久消費財	947	2,889	3,004	2,889	3,004	3,345	3,345
室内装備品・照明器具・寝具類	692	1,203	1,368	1,702	1,867	2,340	2,340
台所・調理用品・食器	437	746	744	835	827	897	897
玄関・洗濯・裁縫・掃除・風呂用品	315	410	463	614	614	709	709
消耗品	593	739	739	1,142	1,142	1,234	1,234
5. 被服・履物費	9,221	11,808	17,893	16,468	20,520	23,146	27,133
被服費	4,421	6,154	8,191	8,325	9,923	11,656	12,533
衣料小物	1,461	1,869	3,176	2,634	3,623	4,070	4,627
履き物	2,117	2,504	4,342	3,607	4,729	5,116	6,548
クリーニング代	1,221	1,282	2,184	1,902	2,245	2,305	3,426
6. 保健・医療費	12,866	14,975	21,599	27,803	27,972	34,286	38,361
医薬品	738	1,079	1,079	1,341	1,341	1,570	1,570
医療器具	1,832	2,042	2,764	3,841	3,476	4,188	5,157
理美容用品	4,849	5,208	6,862	8,480	7,914	8,939	12,046
医療費	3,147	3,147	6,294	9,441	9,441	12,588	12,588
医療保険料	2,300	3,500	4,600	4,700	5,800	7,000	7,000
7. 交通・通信費	8,928	9,128	14,226	16,930	16,930	19,082	25,374
交通費	2,800	2,800	5,600	7,000	7,000	8,400	11,200
郵便費	200	400	400	600	600	800	800
通信費	5,928	5,928	8,226	9,330	9,330	9,882	13,374
8. 教育費	0	6,129	0	24,061	8,903	17,805	36,418
高等学校	0	0	0	0	0	0	21,259
中学校	0	0	0	15,159	0	0	15,159
小学校	0	0	0	8,903	8,903	17,805	0
保育施設	0	6,129	0	0	0	0	0
9. 教養娯楽費	8,554	15,174	18,571	21,557	21,926	25,281	29,561
教養娯楽耐久財	1,806	2,600	2,346	3,152	3,014	3,682	3,702
家庭教養文房具	198	198	198	198	198	198	198
情報料	1,225	5,379	5,379	5,379	5,379	5,379	5,379
帰省費	2,535	2,535	5,070	5,577	6,084	7,098	9,126
レジャー費	2,789	4,462	5,578	7,251	7,251	8,924	11,156
10. その他	13,790	13,790	20,482	16,832	21,496	22,510	25,856
社会的交際費	7,098	7,098	7,098	7,098	7,098	7,098	7,098
小遣い（成人）	6,692	6,692	13,384	6,692	13,384	13,384	13,384
小遣い（成人以外）	0	0	0	3,042	1,014	2,028	5,374
月間消費支出計	148,325	188,326	231,914	276,963	279,688	334,934	396,689
（自動車保有の場合）	187,802	227,803	271,391	316,439	319,165	374,411	436,165
児童手当受給額	0	10,000	0	20,000	10,000	20,000	10,000
月間必要生計費	148,325	178,326	231,914	256,963	269,688	314,934	386,689
（自動車保有の場合）	187,802	217,803	271,391	296,439	309,165	354,411	426,165
年間必要生計費	1,779,898	2,139,911	2,782,966	3,083,551	3,236,258	3,779,205	4,640,265
（自動車保有の場合）	2,253,619	2,613,632	3,256,687	3,557,272	3,709,978	4,252,926	5,113,986

2021連合リビングウェイジ（＝必要生計費＋税・社会保険料）

	単身成人	2人	2人	3人	3人	4人	4人
ＬＷ年額	2,197,201	2,610,791	3,512,623	3,832,336	4,093,293	4,883,880	5,981,509
（自動車保有の場合）	2,824,508	3,206,034	4,116,492	4,437,709	4,710,401	5,552,190	6,651,223
ＬＷ月額	183,100	217,566	292,719	319,361	341,108	406,990	498,459
（自動車保有の場合）	235,376	267,170	343,041	369,809	392,533	462,683	554,269
ＬＷ時間額（月165h）	1,110	1,319	1,774	1,936	2,067	2,467	3,021
（自動車保有の場合）	1,427	1,619	2,079	2,241	2,379	2,804	3,359

注：LW時間額＝LW月額/165時間（2020「賃金構造基本統計調査」所定内実労働時間数全国平均）。成人はいずれも勤労者を想定。2人（成人男女）世帯はいずれも勤労者を想定。
　　ただしLW時間額は世帯として必要な時間額であることに留意。成人・高校生・中学生について男女の別の記載がない構成員区分については、女性の数値を用いた
出所：連合作成

4．2021都道府県別リビングウェイジ（LW）と2021地域別最低賃金との比較

		2021LW			2021LW（自動車保有の場合）			⑤2021地域別最低賃金	地域物価指数	
		①時間額 *1	②月額 *2	最賃比	③時間額 *1	④月額 *2	最賃比		住居費以外 *3	住居費 *4
		②/165h(円)	(円)	⑤/①	④/165h(円)	(円)	⑤/③	(円)	さいたま市＝100	
地賃A	東京	1,190	197,000	87.5	1,515	250,000	68.7	1,041	101.1	125.6
	神奈川	1,140	188,000	91.2	1,461	241,000	71.2	1,040	101.3	106.1
	大阪	1,050	174,000	94.5	1,370	226,000	72.4	992	97.8	88.3
	埼玉	1,070	177,000	89.3	1,388	229,000	68.9	956	98.5	92.5
	愛知	1,020	169,000	93.6	1,327	219,000	72.0	955	95.9	82.7
	千葉	1,070	177,000	89.1	1,388	229,000	68.7	953	98.7	91.0
地賃B	京都	1,070	176,000	87.6	1,376	227,000	68.1	937	98.9	87.6
	兵庫	1,060	175,000	87.5	1,376	227,000	67.5	928	98.4	88.4
	静岡	1,020	169,000	89.5	1,327	219,000	68.8	913	96.9	79.0
	三重	1,010	166,000	89.3	1,315	217,000	68.6	902	97.4	71.8
	広島	1,020	168,000	88.1	1,327	219,000	67.7	899	97.4	76.0
	滋賀	1,020	169,000	87.8	1,339	221,000	66.9	896	98.1	77.3
	栃木	1,000	165,000	88.2	1,303	215,000	67.7	882	96.9	71.5
	茨城	990	164,000	88.8	1,303	215,000	67.5	879	96.6	71.5
	富山	990	164,000	88.6	1,303	215,000	67.3	877	97.3	68.9
	長野	990	163,000	88.6	1,291	213,000	67.9	877	96.4	68.9
	山梨	990	164,000	87.5	1,303	215,000	66.5	866	97.4	68.1
地賃C	北海道	1,000	165,000	88.9	1,315	217,000	67.6	889	99.0	66.7
	岐阜	990	164,000	88.9	1,297	214,000	67.9	880	96.1	71.0
	福岡	1,010	166,000	86.1	1,309	216,000	66.5	870	95.9	76.3
	奈良	1,010	167,000	85.7	1,315	217,000	65.8	866	96.0	77.7
	群馬	980	161,000	88.3	1,279	211,000	67.6	865	95.4	67.7
	岡山	1,000	165,000	86.2	1,303	215,000	66.2	862	96.3	73.5
	石川	1,020	168,000	84.4	1,333	220,000	64.6	861	98.8	72.5
	新潟	1,000	165,000	85.9	1,303	215,000	65.9	859	97.0	71.1
	和歌山	1,000	165,000	85.9	1,309	216,000	65.6	859	98.0	67.8
	福井	1,000	165,000	85.8	1,309	216,000	65.5	858	97.9	68.2
	山口	980	162,000	87.4	1,291	213,000	66.4	857	97.6	62.8
	宮城	1,020	169,000	83.6	1,333	220,000	64.0	853	97.5	77.1
	香川	1,010	166,000	84.0	1,309	216,000	64.8	848	97.4	71.5
	徳島	1,000	165,000	82.4	1,315	217,000	62.7	824	98.7	66.7
地賃D	福島	990	164,000	83.6	1,309	216,000	63.3	828	98.2	66.8
	青森	980	161,000	83.9	1,285	212,000	64.0	822	97.4	62.3
	岩手	990	163,000	82.9	1,297	214,000	63.3	821	97.5	65.0
	秋田	980	161,000	83.9	1,285	212,000	64.0	822	97.1	62.9
	山形	1,010	166,000	81.4	1,315	217,000	62.5	822	98.8	68.0
	鳥取	980	162,000	83.8	1,291	213,000	63.6	821	97.4	64.0
	島根	990	163,000	83.2	1,297	214,000	63.5	824	98.1	64.5
	愛媛	980	162,000	83.8	1,291	213,000	63.6	821	96.9	65.9
	高知	990	164,000	82.8	1,303	215,000	62.9	820	98.6	64.2
	佐賀	980	162,000	83.8	1,291	213,000	63.6	821	96.7	67.1
	長崎	990	164,000	82.9	1,303	215,000	63.0	821	98.0	65.8
	熊本	990	163,000	82.9	1,297	214,000	63.3	821	97.7	65.9
	大分	980	162,000	83.9	1,291	213,000	63.7	822	97.0	65.6
	宮崎	950	157,000	86.4	1,255	207,000	65.4	821	95.2	60.4
	鹿児島	950	157,000	86.4	1,255	207,000	65.4	821	95.2	61.1
	沖縄	1,010	167,000	81.2	1,321	218,000	62.1	820	97.9	72.4

注：*1　①③時間額は、それぞれ②④月額を「賃金構造基本統計調査」（厚生労働省、2020）所定内実労働時間数全国平均（165時間）で除し、10円未満は四捨五入した
　　*2　さいたま市のリビングウェイジ（成人単身）を住居費（49,292円）と住居費以外（133,808円、自動車保有の場合は186,084円）に分解し、それぞれさいたま市を100とする地域物価指数（*3*4）を乗じて算出した
　　*3　『住居費以外の地域物価指数』は、「小売物価統計（構造編）」（総務省統計局、2020）の「家賃を除く総合」指数から算出した
　　*4　『住居費の地域物価指数』は、「住宅・土地統計調査」（総務省統計局、2018）「1ヵ月あたり家賃・間代」（0円を含まない）と「1ヵ月あたり共益費・管理費」（0円を含まない）を足した額から算出した

IV

資料編

5．2021年度地域別最低賃金・改定額一覧

ランク	中賃の目安額		引き上げ幅				改定後の地賃額		
	2020	2021	2020		2021※		2019 ①	2020 ②	2021※ ③
			額 ②-①	率	額 ③-②	率			
A	－	28	1	0.10%	28	2.87%	975	976	1,004
B	－	28	1	0.11%	28	3.20%	874	875	903
C	－	28	1	0.12%	28	3.34%	838	839	867
D	－	28	2	0.25%	29	3.66%	791	793	822
全国加重平均	－	28	1	0.11%	28	3.10%	901	902	930

※ ランク別の額・率は連合試算、加重平均は厚生労働省公表

C：北海道
¥889

D：青森 ¥822
D：秋田 ¥822 | D：岩手 ¥821
D：山形 ¥822 | C：宮城 ¥853
C：石川 ¥861 | B：富山 ¥877 | C：新潟 ¥859 | D：福島 ¥828
C：群馬 ¥865 | B：栃木 ¥882 | B：茨城 ¥879
D：佐賀 ¥821 | C：福岡 ¥870 | D：島根 ¥824 | D：鳥取 ¥821 | C：福井 ¥858 | C：岐阜 ¥880 | B：長野 ¥877 | A：埼玉 ¥956
D：長崎 ¥821 | D：熊本 ¥821 | D：大分 ¥822 | C：山口 ¥857 | B：広島 ¥899 | C：岡山 ¥862 | B：兵庫 ¥928 | B：京都 ¥937 | B：滋賀 ¥896 | B：山梨 ¥866 | A：東京 ¥1,041 | A：千葉 ¥953
D：宮崎 ¥821 | A：大阪 ¥992 | C：奈良 ¥866 | A：愛知 ¥955 | B：静岡 ¥913 | A：神奈川 ¥1,040
D：鹿児島 ¥821 | D：愛媛 ¥821 | C：香川 ¥848 | B：三重 ¥902 | C：和歌山 ¥859
D：高知 ¥820 | C：徳島 ¥824
D：沖縄 ¥820

	目安どおり で結審	目安プラス1円 で結審	目安プラス2円 で結審	目安プラス4円 で結審
都道府県数	40	4	2	1

出所：連合作成

6．連合構成組織の標準労働者ポイント別賃金水準・年間一時金

(1) 高卒・生産労働者（技能）標準労働者（連合登録組合集計）

（単位：円）

産業別部門		20歳	25歳	30歳	35歳	40歳	45歳
金属	所定内	181,601	213,400	262,847	301,715	335,084	361,142
	一時金	791,397	964,485	1,190,180	1,360,738	1,485,237	1,624,361
化学・繊維	所定内	178,577	210,026	267,261	302,629	332,070	356,017
	一時金	738,731	874,966	1,070,261	1,227,831	1,356,987	1,435,784
食品	所定内	184,982	221,372	276,108	328,296	354,907	379,758
	一時金	657,109	816,369	1,099,986	1,198,624	1,393,825	1,491,151
資源・エネルギー	所定内	184,944	220,094	266,025	316,778	343,343	375,652
	一時金	769,928	951,664	1,116,956	1,346,107	1,533,311	1,726,840
交通・運輸	所定内	181,479	214,775	249,000	278,649	288,301	301,879
	一時金	493,256	538,405	593,262	665,943	713,112	760,435
サービス・一般	所定内	182,450	206,118	249,819	279,893	303,341	320,267
	一時金	749,531	803,551	899,417	973,128	1,056,406	1,142,336
情報・出版	所定内	-	-	-	-	-	-
	一時金	-	-	-	-	-	-
商業・流通	所定内		208,270	259,753	-	-	-
	一時金	-	-	-	-	-	-
保険・金融	所定内	-	-	-	-	-	-
	一時金	-	-	-	-	-	-
建設・資材・林産	所定内	-	-	-	-	-	-
	一時金	-	-	-	-	-	-
規模別 1,000人以上	所定内	184,440	217,924	270,991	312,036	341,733	366,295
	一時金	731,540	880,113	1,106,190	1,253,279	1,375,227	1,492,233
規模別 300〜999人	所定内	178,034	208,964	253,631	285,032	308,236	326,751
	一時金	608,184	666,891	860,636	970,989	990,521	1,058,745
規模別 300人未満	所定内	178,630	207,781	244,818	277,827	291,211	311,161
	一時金	564,304	615,073	717,283	823,779	855,497	887,238
総計	所定内	181,674	213,853	262,168	299,197	324,368	346,091
	一時金	669,315	778,823	970,925		1,180,708	1,261,005

注：1. 一時金は年間合計（2020年年末、2021年夏、その他）　2. 各金額は各項目の回答組合数による単純平均値（回答組合数5未満は非表示）
出所：連合「労働条件調査」（2021年度）

(2) 高卒・事務技術労働者（職員）標準労働者（連合登録組合集計）

（単位：円）

産業別部門		20歳	25歳	30歳	35歳	40歳	45歳
金属	所定内	178,577	209,307	261,042	300,580	329,551	349,535
	一時金	781,866	955,405	1,176,697	1,394,851	1,517,691	1,629,267
化学・繊維	所定内	176,895	201,144	258,932	293,841	322,638	345,151
	一時金	721,082	852,211	1,046,178	1,197,048	1,366,041	1,432,220
食品	所定内	187,233	225,118	278,735	327,752	349,740	378,868
	一時金	670,515	844,558	1,222,371	1,308,578	1,514,396	1,614,976
資源・エネルギー	所定内	181,600	218,933	277,042	322,533	366,233	403,779
	一時金	788,526	966,937	1,162,713	1,374,703	1,610,148	1,828,758
交通・運輸	所定内	183,462	206,462	244,925	273,505	299,876	310,358
	一時金	468,815	490,836	545,446	611,619	686,724	744,288
サービス・一般	所定内	182,742	209,257	249,410	284,043	320,842	332,071
	一時金	555,521	619,376	714,886	778,616	892,609	963,616
情報・出版	所定内	188,987	222,517	277,583	324,990	353,564	381,047
	一時金	870,784	1,048,058	1,236,459	1,420,904	1,543,206	1,629,234
商業・流通	所定内	187,150	227,343	280,379	322,286	340,758	362,721
	一時金	763,925	1,024,345	1,157,929	1,246,578	1,387,883	1,379,696
保険・金融	所定内	188,267	241,454	319,432	369,267	406,418	439,486
	一時金	734,163	922,682	1,106,163	1,298,398	1,489,885	1,609,623
建設・資材・林産	所定内	-	-	-	-	-	-
	一時金	-	-	-	-	-	-
規模別 1,000人以上	所定内	187,284	220,790	276,235	319,886	350,814	373,512
	一時金	725,204	887,320	1,082,504	1,239,579	1,425,954	1,514,372
規模別 300〜999人	所定内	178,756	205,414	254,520	287,248	315,019	335,289
	一時金	671,681	739,417	861,721	992,351	1,074,550	1,138,859
規模別 300人未満	所定内	174,211	199,844	236,240	264,104	283,844	306,950
	一時金	526,794	581,290	675,426	732,799	808,218	833,652
総計	所定内	183,202	213,859	264,416	302,786	332,335	353,459
	一時金	678,326	803,029	963,365	1,098,087	1,251,157	1,320,669

注：1. 一時金は年間合計（2020年年末、2021年夏、その他）　2. 各金額は各項目の回答組合数による単純平均値（回答組合数5未満は非表示）
出所：連合「労働条件調査」（2021年度）

(3) 学歴別初任賃金（連合登録組合集計）

（単位：円）

産業別部門	事務・技術労働者 大学卒 区分なし	事務・技術労働者 大学卒 総合職	事務・技術労働者 大学卒 一般職	事務・技術労働者 高卒	生産労働者 高卒
金属	211,195	213,393	188,757	168,166	168,216
化学・繊維	214,425	215,294	188,182	165,893	169,295
食品	210,188	203,736	-	171,104	170,522
資源・エネルギー	207,929	-	-	167,778	167,439
交通・運輸	195,094	200,767	175,237	167,909	170,692
サービス・一般	206,556	209,670	179,503	168,175	170,654
情報・出版	209,135	-	-	172,688	-
商業・流通	209,374	225,143	-	175,342	174,783
保険・金融	206,270	214,400	187,820	163,173	-
建設・資材・林産	-	-	-	-	-
規模別 1,000人以上	213,505	216,042	187,817	171,364	172,425
規模別 300〜999人	203,560	205,594	181,684	166,346	167,567
規模別 300人未満	192,094	199,324	176,812	163,361	164,068
総計	207,182	212,495	185,490	168,554	169,733

注：各金額は各項目の回答組合数による単純平均値（回答組合数5未満は非表示）
出所：連合「労働条件調査」（2021年度）

IV 資料編

7．短時間労働者の1時間あたり所定内給与額

（企業規模10人以上・産業・都道府県別・男女計・平均・時間額）

都道府県	2021連合リビングウェイジ	2021地域別最低賃金	産業計	鉱業、採石業、砂利採取業	建設業	製造業	電気・ガス・熱供給・水道業	情報通信業	運輸業、郵便業	卸売業、小売業	金融業、保険業	不動産業、物品賃貸業	学術研究、専門・技術サービス業	宿泊業、飲食サービス業	生活関連サービス業、娯楽業	教育、学習支援業	医療、福祉	複合サービス事業	サービス業（他に分類されないもの）
北海道	1,000	889	1,209	1,113	1,248	1,019	1,106	1,280	1,054	1,009	1,150	1,141	1,393	1,296	1,272	2,374	1,454	1,060	1,067
青　森	980	822	1,098	1,149	1,033	1,238	4,491	1,367	956	933	993	1,024	1,009	951	988	2,547	1,202	974	965
岩　手	990	821	1,121	1,148	976	978	989	1,595	1,018	964	1,205	1,060	1,405	1,102	1,029	2,565	1,348	1,042	1,091
宮　城	1,020	853	1,226	1,151	1,102	1,003	4,436	1,237	1,067	1,095	1,350	1,270	1,441	1,012	1,211	1,873	1,985	1,097	1,152
秋　田	980	822	1,161	824	1,042	968	1,297	1,138	1,080	952	972	1,096	1,264	1,704	1,166	1,624	1,278	1,186	919
山　形	1,010	822	1,196	1,226	1,147	1,164	1,319	975	1,105	963	1,113	1,054	1,425	1,197	1,128	2,011	1,324	1,163	1,253
福　島	990	828	1,136	－	1,165	1,110	1,046	1,266	1,148	1,011	1,233	1,002	1,108	1,253	1,145	1,711	1,150	1,082	1,055
茨　城	990	879	1,279	－	931	1,363	1,453	1,778	1,017	1,188	1,188	1,171	1,582	1,040	1,211	1,867	1,660	1,055	1,321
栃　木	1,000	882	1,204	1,202	1,647	1,164	2,065	1,263	1,093	1,108	1,217	1,090	1,276	1,104	1,133	1,341	1,509	1,170	1,199
群　馬	980	865	1,382	998	1,931	1,233	1,388	1,177	1,177	1,066	1,237	1,146	1,191	1,371	1,395	2,138	2,017	1,271	1,219
埼　玉	1,070	956	1,347	1,315	1,462	1,258	1,399	1,225	1,199	1,095	1,341	1,283	1,368	1,122	1,362	2,410	2,034	1,271	1,213
千　葉	1,070	953	1,391	1,513	1,272	1,205	2,441	1,990	1,339	1,102	1,358	1,482	1,381	1,231	1,728	2,177	1,661	1,324	1,743
東　京	1,190	1,041	1,820	1,499	1,600	1,548	1,795	1,965	1,655	1,483	1,737	1,707	1,895	1,454	2,194	3,047	2,871	1,434	1,403
神奈川	1,140	1,040	1,537	1,138	1,846	1,351	1,620	2,202	1,420	1,229	1,607	1,350	1,686	1,367	1,529	2,620	2,069	1,445	1,293
新　潟	1,000	859	1,206	1,095	1,774	1,109	1,620	1,241	1,325	1,044	1,074	1,095	1,380	1,038	1,275	2,846	1,472	1,433	1,046
富　山	990	877	1,282	1,047	1,326	1,305	1,609	1,188	1,194	1,134	1,143	1,073	1,358	1,120	1,396	1,282	1,617	1,171	1,235
石　川	1,020	861	1,232	－	1,265	1,539	2,043	1,966	1,246	1,074	1,171	1,230	1,609	1,006	1,369	2,165	1,359	1,172	1,412
福　井	1,000	858	1,189	1,819	1,197	1,131	1,041	1,018	1,497	1,071	1,243	981	1,262	1,045	1,318	1,866	1,369	1,119	1,150
山　梨	990	866	1,307	1,168	1,748	1,273	986	1,177	1,111	1,238	1,183	1,131	1,112	1,076	1,182	3,059	1,439	1,396	1,130
長　野	990	877	1,267	1,571	1,496	1,145	1,173	1,333	1,150	1,092	1,231	1,193	1,337	1,138	1,215	2,498	1,559	1,253	1,206
岐　阜	990	880	1,272	1,024	1,598	1,229	1,110	1,195	1,068	1,040	1,838	1,009	1,393	1,134	1,181	2,072	1,580	1,196	1,212
静　岡	1,020	913	1,309	1,012	1,235	1,708	2,250	1,601	1,124	1,061	1,372	1,219	1,169	1,231	1,496	1,794	1,648	1,165	1,151
愛　知	1,020	955	1,443	1,153	1,220	1,408	1,606	1,556	1,305	1,135	2,837	1,310	1,791	1,212	1,420	3,014	2,012	1,276	1,335
三　重	1,010	902	1,211	1,117	1,752	1,251	1,202	1,269	1,184	1,037	1,230	1,173	1,216	1,080	1,278	2,687	1,510	1,118	1,131
滋　賀	1,020	896	1,313	1,924	1,181	1,317	1,306	1,118	1,025	1,206	1,109	1,009	1,344	1,111	1,255	2,172	1,750	1,126	1,312
京　都	1,070	937	1,546	1,055	1,387	1,216	1,236	1,800	1,076	1,124	1,677	1,569	2,289	1,255	2,250	2,674	2,063	1,240	1,202
大　阪	1,050	992	1,587	－	1,335	1,147	1,356	1,447	1,300	1,239	1,946	1,291	1,598	1,206	1,881	3,291	2,510	1,404	1,249
兵　庫	1,060	928	1,378	1,270	1,451	1,249	1,233	1,293	1,625	1,391	1,565	1,233	1,726	1,109	1,334	2,258	1,519	1,157	1,166
奈　良	1,010	866	1,307	－	1,605	1,122	1,173	1,289	1,037	1,044	1,879	997	1,479	1,074	1,200	2,494	1,766	1,224	1,094
和歌山	1,000	859	1,194	－	1,103	1,051	1,386	1,459	1,173	980	1,178	1,081	1,694	1,050	1,481	2,351	1,382	1,271	1,295
鳥　取	980	821	1,171	－	1,319	1,004	2,778	1,138	1,204	1,094	1,161	1,066	1,113	1,033	1,063	1,607	1,323	941	1,258
島　根	990	824	1,253	1,097	1,016	1,079	1,407	1,120	2,495	972	1,065	1,085	1,005	1,433	1,298	2,239	1,313	1,242	1,074
岡　山	1,000	862	1,362	1,126	1,498	1,803	1,122	1,363	1,148	1,006	1,312	1,188	1,438	1,256	1,300	2,387	1,800	1,094	1,468
広　島	1,020	899	1,217	1,021	1,218	1,259	1,395	1,662	1,166	1,047	1,697	1,145	1,369	1,072	1,073	2,435	1,553	1,160	1,096
山　口	980	857	1,306	886	1,058	1,238	－	1,161	1,252	1,014	1,406	1,089	1,634	1,839	1,133	2,430	1,161	1,090	1,122
徳　島	1,000	824	1,262	1,058	1,413	1,039	－	1,095	1,635	998	1,457	1,114	1,190	1,001	1,043	1,604	1,953	1,215	943
香　川	1,010	848	1,368	1,438	1,047	1,231	1,940	1,220	1,851	1,015	1,271	1,060	1,035	1,181	1,341	1,554	2,277	1,066	1,050
愛　媛	980	821	1,132	994	1,083	1,033	928	1,136	979	993	1,095	1,657	1,264	1,008	2,138	1,548	1,247	1,110	987
高　知	990	820	1,172	989	969	1,056	5,645	1,181	1,042	901	1,368	1,045	1,461	987	1,466	2,400	1,860	2,235	1,125
福　岡	1,010	870	1,169	－	1,127	1,158	1,261	1,322	1,062	1,021	1,365	1,451	1,290	1,027	1,242	1,764	1,562	1,158	1,032
佐　賀	980	821	1,271	－	1,401	1,082	967	1,163	1,025	1,037	1,128	1,016	1,256	953	1,098	2,257	1,837	1,123	1,190
長　崎	990	821	1,126	－	1,399	1,123	1,221	959	1,216	938	1,219	1,181	1,098	1,105	1,272	1,789	1,209	1,043	1,405
熊　本	990	821	1,154	1,327	4,277	912	761	1,136	1,011	997	1,927	1,368	1,179	1,130	1,125	2,034	1,602	1,090	984
大　分	980	822	1,283	1,020	1,059	1,184	－	1,040	1,151	941	1,461	1,024	1,202	1,181	1,118	2,240	1,868	1,068	1,037
宮　崎	950	821	1,083	1,084	1,074	986	778	1,137	1,045	955	1,189	1,362	1,343	1,040	1,215	1,737	1,192	891	1,029
鹿児島	950	821	1,120	1,036	909	982	1,466	1,155	1,009	923	1,058	945	1,394	1,051	1,058	2,000	1,306	1,133	1,096
沖　縄	1,010	820	1,171	847	956	1,003	1,622	1,224	1,070	1,022	1,113	1,460	1,244	1,098	1,211	2,101	1,228	1,055	1,314

注：短時間労働者＝都道府県別第1表短時間労働者の1時間あたり所定内給与額および年間賞与その他特別給与額
　　企業規模計＝都道府県、産業別短時間労働者の平均年齢、平均勤続年数、平均月間実労働日数、平均1日あたり所定内実労働時間数、平均1時間あたり所定内給与額、
　　　　　　　　平均年間賞与その他特別給与額および労働者数
　　　　　　　　所定内実労働時間数全国平均（165時間）で算出
　　なお、上記は2020年調査から、従来集計では除外されていた「一時間当たり所定内給与額が3,000円を超え」る労働者が集計に含まれるよう変更されたことにより、金額が
大幅に上昇している
出所：連合「2021連合リビングウェイジ（中間報告）」都道府県別・単身成人・時間額、厚生労働省「地域別最低賃金の全国一覧」、厚生労働省「賃金構造基本統計調査」（2020年）
　　　短時間労働者・都道府県別第1表

8. 2021春季生活闘争　代表銘柄・中堅銘柄（職種別賃金主要銘柄）

金属共闘連絡会議（17銘柄）

組織	銘柄	金額
自動車総連	自動車製造組立 高卒35歳（11社）	329,720
	車体・部品製造（大手）高卒35歳（11社）	311,594
	車体・部品製造（中堅）高卒35歳（5社）	271,706
	自動車販売営業職 短大高専卒35歳（9社）	281,752
電機連合	開発・設計職基幹労働者（30歳相当）基本賃金 ※中闘組合単純平均	322,308
	製品組立職基幹労働者（35歳相当）基本賃金 ※中闘組合単純平均	296,643
JAM	産業用機械製造 高卒・35歳 所定内賃金	300,000
	金属製品製造 高卒・35歳 所定内賃金	292,000
	輸送・交通関連機器製造 高卒・35歳 所定内賃金	294,000
	電機・精密製造 高卒・35歳 所定内賃金	308,000
	金属産業中小目安基準 高卒35歳 所定内賃金	270,000
基幹労連	鉄鋼総合メーカー 生産職 高卒35歳・勤続17年	296,700
	鉄鋼中堅メーカー 生産職 高卒35歳・勤続17年	272,900
	総合重工メーカー 製造 高卒35歳・勤続17年	304,000
	中堅重工メーカー 製造 高卒35歳・勤続17年	263,700
	非鉄総合メーカー 生産職 高卒35歳・勤続17年	289,400
全電線	電線メーカー技能職 高卒・35歳	313,288

化学・食品・製造等共闘連絡会議（22銘柄）

組織	銘柄	金額
UAゼンセン	化学素材・高卒・生産技能職・35歳・勤続17年 基本賃金（5社）単純平均	270,924
JEC連合	石油・高卒・30歳勤続12年 扶養2人（6社）所定内賃金 単純平均	278,400
	化学・高卒・30歳勤続12年 扶養2人（25社）所定内賃金 単純平均	280,256
	セメント・高卒・30歳勤続12年 扶養2人（2社）所定内賃金 単純平均	249,194
	医薬化粧品・高卒・30歳勤続12年 扶養2人（3社）所定内賃金 単純平均	308,127
	塗料・高卒・30歳勤続12年 扶養2人（10社）所定内賃金 単純平均	283,261
	中小・一般・高卒・30歳勤続12年 扶養2人（6社）所定内賃金 単純平均	261,540
フード連合（2020年賃金実態調査の結果より）	食品生産・技能職（111組合 35歳）基本賃金	262,371
	食品技術・研究職（111組合 35歳）基本賃金	319,511
	食品企画職（111組合 35歳）基本賃金	337,375
	食品一般事務職（111組合 35歳）基本賃金	249,288
	食品営業・サービス職（111組合 35歳）基本賃金	308,708
	食品運輸関係職（111組合 35歳）基本賃金	223,376
ゴム連合	ゴム製品製造生産技能高卒・35歳（9社）	303,186
	ゴム製品製造生産技能高卒・35歳（300～999人規模）	306,988
紙パ連合	製紙メーカー製造 高卒35歳（12社）単純平均	293,916
印刷労連	高卒定期入社・35歳所定内計（1000人以上）	305,196
	高卒定期入社・35歳所定内計（300人以上）	296,324
	大卒定期入社・35歳所定内計（1000人以上）	337,712
	大卒定期入社・35歳所定内計（300人以上）	319,685
セラミックス連合	窯業技能職高卒・35歳（500人以上規模・代表5社）基本賃金 単純平均	279,000
	窯業技能職高卒・35歳（100～500人未満・代表8社）基本賃金 単純平均	242,000

流通・サービス・金融共闘連絡会議（16銘柄）

組織	銘柄	金額
UAゼンセン	百貨店（7社）30歳男子・実態中位 単純平均	294,500
	総合スーパー（4社）30歳男子・実態中位 単純平均	303,000
	食品スーパー（15社）30歳男子・実態中位 単純平均	273,300
	家電量販店（6社）30歳男子・実態中位 単純平均	251,900
	外食業（16社）店長 30歳男子・実態中位・単純平均	263,759
自治労（全国一般）	保健医療（5社）35歳 加重平均	253,949
ヘルスケア労協	看護師・大卒35歳（モデル賃金）	287,500
	介護士・短大2年・35歳（モデル賃金）	263,000
	医療技師・短大3年・35歳（モデル賃金）	276,300
	一般事務職・大卒35歳（モデル賃金）	275,300
	病院調理師・高卒35歳（モデル賃金）	249,800
サービス連合	旅行業・35歳（大卒含む）	324,500
	ホテル業・35歳（大卒含む）	272,000
生保労連 損保労連	保険業（規模計、大卒、30歳、男女）（賃構推計）	288,600
全銀連合	銀行業（規模計・大卒・30歳、男性）（賃構推計）	291,300
全国農団労 全労金 労済労連	協同組織金融（3組織の所定内賃金［大学・大学院卒・35歳、男女］の単純平均）	312,463

インフラ・公益共闘連絡会議（15銘柄）

組織	銘柄	金額
自治労	地方公務員事務・技術職・35歳	293,807
JP労組	地域基幹職・35歳勤続17年 配偶者、子供2人（モデル賃金）	282,100
電力総連	電気事業 高卒30歳・勤続12年 配偶者扶養 単純平均	284,831
	電気工事業 高卒30歳・勤続12年 単純平均	260,258
	電気保安業 高卒30歳・勤続12年 単純平均	267,349
	発電所設備保守業 高卒30歳・勤続12年・配偶者＋子 単純平均	272,687
	計器・電気機器製造業 高卒30歳・勤続12年・配偶者＋子 単純平均	257,444
情報労連	通信大手30歳・勤続12年 事務職（6社）	309,300
	情報サービス大手30歳 勤続12年・事務職（3社）	288,200
	通信大手35歳・勤続17年 事務職（6社）	372,700
	情報サービス大手35歳 勤続17年・事務職（3社）	343,900
全国ガス	ガス関連事業・高卒35歳 単純平均	267,000
全水道	水道、下水道、ガス事務技術職・35歳（参考値）（諸手当含まず）	281,800
メディア労連	放送事業・35歳（主要12組合平均）	311,391
	映画事業・33歳（代表1社平均）	299,592

交通・運輸共闘連絡会議（13銘柄）

組織	銘柄	金額
運輸労連 交通労連	普通貨物運転職・平均（45.0歳、勤続13.8年）大手24社の単純平均（運輸=11社、交通トラック部会=13社）	234,847
私鉄総連	鉄軌道運転士・35歳（全体平均基本給）	258,649
	バス運転士・35歳（全体平均基本給）	202,722
JR連合 JR総連	JR駅員職・35歳（2構成組織の賃金実態調査の単純平均）	277,000
	JR運転職・35歳（2構成組織の賃金実態調査の単純平均）	305,700
交通労連	バス運転士・35歳	191,736
海員組合	内航船舶部員・35歳	245,100
航空連合	航空一般（3社単純平均）（30歳）	277,711
	航空機整備専門（4社単純平均）（30歳）	252,522
自治労（都市公共交通）	バス運転手 30歳代前半平均（給料・調整額含む）	224,400
	地下鉄運転士 30歳代前半平均（給料・調整額含む）	262,800
交通労連 全自交労連	タクシー運転職（賃構推計）	241,600
労供労連	生コン・清掃・海コン車運転手・清掃作業員 供給契約賃金平均	290,000

注：すべて2021春季生活闘争開始時の水準。特段注記のない銘柄賃金水準の算出は平均値による

IV 資料編

9. 平均賃金方式での賃上げ状況の推移（連合結成以降）

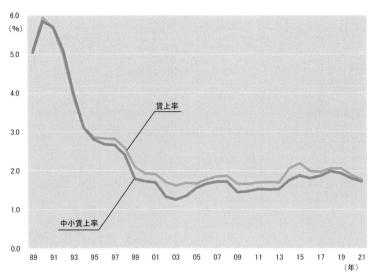

注：1989年〜2021年のデータは、すべて各年の最終集計結果
出所：連合作成

10. 要求状況・妥結進捗状況

	2014回答 （2014年 7月1日公表）		2015回答 （2015年 7月1日公表）		《再計算》 2016回答 （2016年 7月5日公表）		2017回答 （2017年 7月5日公表）		2018回答 （2018年 7月6日公表）		2019回答 （2019年 7月5日公表）		2020回答 （2020年 7月6日公表）		2021回答 （2021年 7月5日公表）	
	組合数 （組合）	率 （%）	組合数 （組合）	率 （%）	組合数 （組合）	率 （%）	組合数 （組合）	率 （%）	組合数 （組合）	率 （%）	組合数 （組合）	率 （%）	組合数 （組合）	率 （%）	組合数 （組合）	率 （%）
集計組合　計	8,789		8,765		8,656		8,161		8,166		8,043		8,045		7,929	
要求を提出 （賃金に限らず全ての要求）	7,281	82.8	7,408	84.5	7,050	81.4	6,956	85.2	6,999	85.7	6,839	85.0	6,742	83.8	6,558	82.7
うち、月例賃金改善（定 　昇維持含む）を要求					5,846	67.5	5,633	69.0	5,877	72.0	5,540	68.9	5,376	66.8	5,920	74.7
要求検討中・ 要求状況不明	1,508	17.1	1,357	15.5	1,606	18.6	1,205	14.8	1,167	14.3	1,204	15.0	1,303	16.2	1,371	17.3
妥結済組合 （月例賃金改善限定）	5,906		6,031		4,099		4,398		5,273		5,085		4,773		4,771	
賃金改善分獲得	2,386	40.4	2,197	36.4	1,123	27.4	1,300	29.6	2,010	38.1	1,896	37.3	1,636	34.3	1,277	26.8
定昇相当分確保のみ （協約確定含む）	1,583	26.8	1,163	19.3	727	17.7	805	18.3	798	15.1	875	17.2	1,187	24.9	1,505	31.5
定昇相当分確保未達成	160	2.7	146	2.4	53	1.3	8	0.2	30	0.6	26	0.5	14	0.3	71	1.5
確認中	1,777	30.1	2,525	41.9	2,196	53.6	2,285	52.0	2,435	46.2	2,288	45.0	1,936	40.6	1,918	40.2

注：　2017から月例賃金改善（定昇維持含む）要求に限定して妥結進捗状況を集計するよう変更したのに伴い、2016については同じ方法ですべて再計算しているが、2015および2014
　　は月例賃金改善（定昇維持含む）要求に限定せず妥結進捗状況を集計した値であり単純比較はできない。率は小数第1位未満を四捨五入しており、計と一致しない場合がある
出所：連合作成

11. 景気循環ごとの給与階級別分布と給与総額の状況

	①1997年～ITバブル期			②いざなみ景気～リーマンショック期			③民主党政権期			④アベノミクス景気		
	1997年	2002年	差	2002年	2009年	差	2009年	2012年	差	2012年	2020年	差
100万円以下（人）	3,325,000	3,122,798	-202,202	3,122,798	3,989,048	866,250	3,989,048	3,935,220	-53,828	3,935,220	4,420,000	484,780
200 〃	4,816,000	5,406,763	590,763	5,406,763	7,009,695	1,602,932	7,009,695	6,964,770	-44,925	6,964,770	7,226,000	261,230
300 〃	6,432,000	7,062,886	630,886	7,062,886	7,899,258	836,372	7,899,258	7,796,373	-102,885	7,796,373	8,142,000	345,627
400 〃	7,727,000	7,996,421	269,421	7,996,421	8,148,526	152,105	8,148,526	8,186,147	37,621	8,186,147	9,130,000	943,853
500 〃	6,650,000	6,494,755	-155,245	6,494,755	6,162,929	-331,826	6,162,929	6,334,913	171,984	6,334,913	7,643,000	1,308,087
600 〃	4,974,000	4,723,738	-250,262	4,723,738	4,073,509	-650,229	4,073,509	4,276,118	202,609	4,276,118	5,366,000	1,089,882
700 〃	3,420,000	3,089,812	-330,188	3,089,812	2,463,536	-626,276	2,463,536	2,604,870	141,334	2,604,870	3,395,000	790,130
800 〃	2,486,000	2,225,731	-260,269	2,225,731	1,694,629	-531,102	1,694,629	1,811,377	116,748	1,811,377	2,313,000	501,623
900 〃	1,683,000	1,438,397	-244,603	1,438,397	1,147,970	-290,427	1,147,970	1,148,154	184	1,148,154	1,453,000	304,846
1,000 〃	1,120,000	993,654	-126,346	993,654	710,361	-283,293	710,361	775,208	64,847	775,208	952,000	176,792
1,500 〃	2,088,000	1,655,611	-432,389	1,655,611	1,303,499	-352,112	1,303,499	1,294,653	-8,846	1,294,653	1,753,000	458,347
2,000 〃	394,000	341,898	-52,102	341,898	267,987	-73,911	267,987	260,064	-7,923	260,064	384,000	123,936
2,500 〃	149,000	80,206	22,607	80,206	81,965	1,759	81,965	87,019	5,054	87,019	124,000	36,981
2,500 万円超		91,401		91,401	103,568	12,167	103,568	81,125	-22,443	81,125	145,000	63,875
給与総額（兆円）	211.5	200.3	-11.2	200.3	182.9	-17.4	182.9	185.9	3.0	185.9	227.2	41.3
給与総額の増減率（%）	—	—	-5.3	—	—	-8.7	—	—	1.6	—	—	22.2
消費者物価指数・総合	97.7	95.8	-1.9	95.8	95.5	-0.3	95.5	94.5	-1.0	94.5	100	5.5
給与総額の増減率と消費者物価指数・総合の差（%）	—	—	-3.4	—	—	-8.4	—	—	2.6	—	—	16.7

注：景気循環の期間は、内閣府の景気基準日付（①第13循環：1999年1月～2002年1月、②第14循環：2002年1月～2009年3月、③第15循環：2009年3月～2012年11月、④第16循環：2012年11月～現在）を参照しているが、第13循環については1997年と2002年を比較している。2020年は作成時点（2021年10月）で1,000人単位のみ公表
出所：国税庁「民間給与実態統計調査」、総務省「消費者物価指数」

12. 貯蓄現在高階級別世帯分布

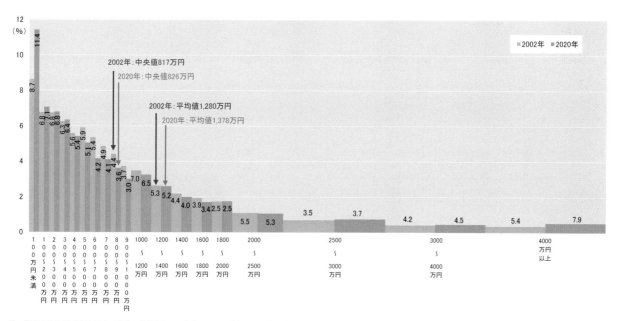

注：総務省統計局「家計調査（貯蓄・負債編）」で取得できる一番古い2002年と直近の2020年を比較。標準級間隔100万円（貯蓄現在高1,000万円未満）の各階級の度数は縦軸目盛りと一致するが、貯蓄現在高1,000万円以上の各階級の度数は階級の間隔が標準級間隔よりも広いため、縦軸目盛りとは一致しない
出所：総務省統計局「家計調査（貯蓄・負債編）」

13. 平均賃金、個別賃金、平均年齢の推移

〈産業規模計〉

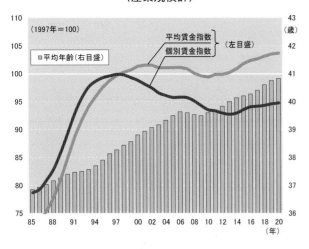

出所：厚生労働省「賃金構造基本統計調査」（2020年）

14. 最賃水準の国際比較

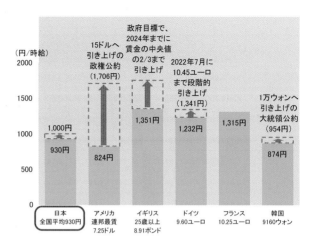

注：2021年11月29日時点の為替レートで円換算
出所：各国政府のHPより

15. マークアップ率の国際比較

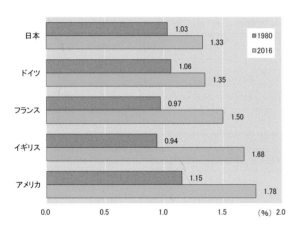

注：マークアップ率とは、製造コストの何倍の価格で販売できているかをみるもの
出所：Jan De Loecker and Jan Eeckhout (2018) "Global Market Power", NBER Working
　　　Paper No. 24768より中小企業庁作成

16. 資金過不足の推移

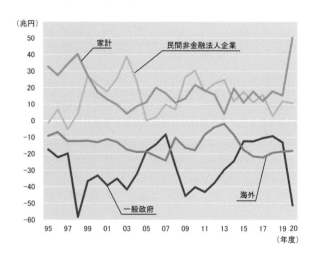

出所：日銀「資金循環統計」

17. 首都圏・首都圏以外に居住の各国の生活の満足度

		賃金・給与	労働時間	仕事のやりがい	居住スペース
日本	首都圏	4.73	5.95	5.43	6.05
	首都圏以外	4.48	5.89	5.51	6.25
イギリス	首都圏	6.10	6.60	6.07	6.93
	首都圏以外	6.35	6.75	6.06	6.90
フランス	首都圏	5.79	6.27	5.93	6.82
	首都圏以外	5.82	6.47	6.12	7.01
ドイツ	首都圏	6.25	6.84	6.50	7.27
	首都圏以外	6.21	6.92	6.44	7.38

注：「不満」を1，「満足」を10とした場合の10段階の回答の平均
出所：国土交通省「市民向け国際アンケート調査結果」

18. 労働組合による個人別賃金実態の把握の有無

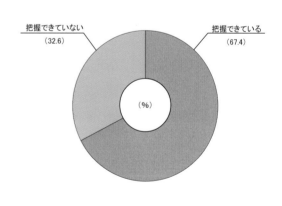

出所：連合「労働条件等の点検に関する調査報告書」（全単組調査）（2021年度）